La Mort et le Temps

Paru dans Le Livre de Poche :

EMMANUEL LÉVINAS

La Mort et le Temps

ÉTABLISSEMENT DU TEXTE
ET POSTFACE DE JACQUES ROLLAND

L'HERNE

Avertissement

Le texte que l'on va lire ici est celui d'un cours professé par Emmanuel Lévinas durant l'année universitaire 1975/1976. Il me semble devoir appeler trois remarques, ou trois groupes de remarques, que je développerai dans la Postface du présent volume. Il s'agit d'abord de l'une des rares traces publiées de l'activité de professeur d'Emmanuel Lévinas, qui a consacré la plus grande part de son enseignement à l'histoire de la philosophie. Cette présence de l'histoire de la philosophie dans l'enseignement du professeur me semble mériter d'être tout particulièrement soulignée, dans la mesure même où l'œuvre propre du philosophe se caractérise par une pratique tout à fait singulière de la référence à la tradition — à « la philosophie qui nous est transmise », ainsi qu'il aime à dire — et qui, exception devant être faite pour le seul Husserl, tient beaucoup plus souvent de l'allusion que de l'analyse proprement dite.

Tel n'est cependant pas le seul intérêt de ce cours, dont on se permettra d'affirmer ici que, bien qu'il n'ait pas été rédigé par le philosophe, il doit être considéré comme partie intégrante de son œuvre de penseur. Car, si la pensée s'y appuie beaucoup plus largement sur les grands prédécesseurs qu'elle n'a coutume de le faire dans les écrits publiés, il est certain que c'est aux fins du déploiement d'une pensée propre. Il ne s'agit donc pas seulement d'histoire de la philosophie, mais de philosophie tout court, qui prend à bras-le-corps la thématique de la mort, laquelle, encore qu'elle soit présente dans de nombreux ouvrages et essais, n'a jamais fait l'objet d'un écrit qui lui fût spécifiquement destiné. Les mêmes remarques valent, à l'évidence, pour la question fondamentale du temps.

Partie intégrante du corpus, ce texte, auquel on a choisi de conserver son caractère de cours, mérite d'être situé dans l'œuvre. Disons donc brièvement qu'il appartient à la période qui, ouverte immédiatement après la publication de Totalité et Infini (1961), a trouvé son apogée dans le maître-livre qu'est Autrement qu'être ou au-delà de l'essence (1974)[1]. C'est donc par rapport à ces différents écrits que ce cours devra être lu.

JACQUES ROLLAND.

---

1. Il me semble que la perspicacité et l'acuité philosophique de Jacques Derrida, premier lecteur de Lévinas dans le sens où celui-ci le fut de Husserl (voir p. 139), ne se sont pas trompées quant à la nature et à l'importance de ce « tournant », amorcé dès après la publication de *Totalité et Infini*. J'en veux pour preuve — ou tout au moins pour signe — les derniers mots de la première note de l'important « Essai sur la pensée d'Emmanuel Lévinas » — « Violence et métaphysique » — publié dès 1964 dans la *Revue de métaphysique et de morale* (nᵒˢ 3 et 4) : « Cet essai était écrit lorsque parurent deux importants textes d'Emmanuel Lévinas : "La Trace de l'Autre" in *Tijdschrift voor Filosofie*, septembre 1963, et "La Signification et le Sens" in *Revue de métaphysique et de morale*, 1964, nᵒ 2. Nous ne pouvons malheureusement y faire ici que de brèves allusions. » (Voir à présent *L'Écriture et la différence*, Paris, Le Seuil, 1967, p. 117.)

PREMIÈRES INTERROGATIONS

Vendredi 7 novembre 1975

Il s'agit ici, avant tout, d'un cours sur le temps — la *durée* du temps. Le mot *durée* du temps est choisi pour plusieurs raisons :

— Il indique qu'il n'y a pas ici à poser la question « qu'est-ce que ? » De la même façon, dans une conférence inédite antérieure à *Sein und Zeit*[1], Heidegger disait que l'on ne peut pas poser la question « qu'est-ce que le temps ? », car alors on pose aussitôt le temps comme être.

Il n'y a aucune action dans la passivité du temps, qui est la patience même (cela étant dit à l'inverse de l'approche intentionnelle) ;

— Le mot évite les idées de flux et d'écoulement qui font penser à une substance liquide et annoncent la possibilité d'une mesure du temps (le temps mesuré, le temps de l'horloge, n'est pas le temps authentique). Comme *temporalisation* — *Zeitigung* — le mot durée

1. Une traduction française de ce texte de 1924, « Le Concept de temps », a paru depuis dans le *Cahier de l'Herne* consacré à Heidegger (n° 45, 1983, rééd. Le Livre de Poche « Biblio/essais », pp. 33-54) ; la traduction est due aux soins de Michel Haar et de Marc B. de Launay.

évite tous ces malentendus et évite la confusion entre ce qui s'écoule *dans* le temps et le temps lui-même ;

— C'est un terme qui surtout veut laisser au temps son mode propre.

Dans la durée du temps, dont la signification ne doit peut-être pas se référer au couple être-néant comme référence ultime du sensé, de tout sensé et de tout pensé, de tout l'humain, la mort est un point dont le temps tient toute sa patience, cette attente se refusant à son intentionnalité d'attente — « patience et longueur de temps », dit le proverbe, patience comme emphase de la passivité. D'où la direction de ce cours : la mort comme patience du temps.

Cette recherche de la mort dans la perspective du temps (du temps non pensé comme horizon de l'être, de l'essance[1] de l'être) ne signifie pas une philosophie du *Sein zum Tode*. Elle se différencie donc de la pensée de Heidegger, et ce quelle que soit la dette de tout chercheur contemporain par rapport à Heidegger — dette qu'il lui doit souvent à regret. Mais, si le *Sein zum Tode* posé comme équivalent de l'être à l'égard du néant ne semble pas poser exactement la mort dans

---

1. « Nous écrivons essance avec un *a* pour désigner par ce mot le sens verbal du mot *être* : l'effectuation de l'être, le *Sein* distinct du *Seiendes* » (*De Dieu qui vient à l'idée*, Paris, Vrin, 1982, p. 78 n.). La « Note préliminaire » d'*Autrement qu'être ou au-delà de l'essence* (La Haye, M. Nijhoff, 1974) était lexicalement ou orthographiquement moins audacieuse, encore que la pensée fût exactement la même : « La note dominante nécessaire à l'entente de ce discours et de son titre même doit être soulignée au seuil de ce livre, bien qu'elle soit souvent répétée au cœur de l'ouvrage : le terme *essence* y exprime l'*être* différent de l'*étant*, le *Sein* allemand distinct du *Seiendes*, l'*esse* latin distinct de l'*ens* scholastique. On n'a pas osé l'écrire *essance* comme l'exigerait l'histoire de la langue où le suffixe *ance*, provenant de *antia* ou de *entia*, a donné naissance à des noms abstraits d'action. » (p. IX). On notera, mais à titre de simple curiosité, que, une seule fois au cours de l'ouvrage, on peut relever la graphie *essance* (p. 81). A titre de simple curiosité, bien sûr, car il est clair que cela relève de la coquille !

le temps, ce refus de traiter temps et mort par rapport à l'être ne réserve cependant pas la facilité du recours à la vie éternelle. La mort : un irréversible (voir le livre de Jankélévitch[1] où je sais, dès le premier alinéa, que j'aurai à mourir ma mort).

Mais ce qui s'ouvre avec la mort, est-ce néant ou inconnu ? Être à l'article de la mort se réduit-il au dilemme ontologique être-néant ? — c'est la question qui est ici posée. Car la réduction de la mort à ce dilemme être-néant est un dogmatisme à l'envers, quel que soit le sentiment de toute une génération méfiante à l'égard du dogmatisme positif de l'immortalité de l'âme considéré comme le plus suave « opium du peuple ».

Tout ce que nous pouvons dire et penser de la mort et du mourir et de leur inévitable échéance, il nous semble de prime abord que nous le tenions de seconde main. Nous le savons par ouï-dire ou par savoir empirique. Tout ce que nous en savons nous vient du langage qui les nomme, qui énonce des propositions : propos communs, proverbiaux, poétiques ou religieux.

Ce savoir nous vient de l'expérience et de l'observation des autres hommes, de leur comportement de mourants et de mortels connaissant leur mort et oublieux de leur mort (ce qui ne veut pas dire ici divertissement : il y a un oubli de la mort qui n'est pas divertissement). La mort est-elle séparable de la relation avec autrui ? Le caractère *négatif* de la mort (anéantissement) est inscrit dans la haine ou le désir de meurtre. C'est dans la relation avec autrui que nous pensons la mort dans sa négativité.

Nous avons cette connaissance par savoir banal ou scientifique. La mort est la disparition, dans les êtres, de ces mouvements expressifs qui les faisaient appa-

1. Vladimir Jankélévitch, *La Mort*, Paris, Flammarion, 1966.

raître comme vivants — ces mouvements qui sont toujours des *réponses*. La mort va toucher avant tout cette autonomie ou cette expressivité des mouvements qui va jusqu'à couvrir quelqu'un dans son visage. La mort est le *sans-réponse*. Ces mouvements cachent, informent les mouvements végétatifs. Le mourir dénude ce qui a été ainsi recouvert et l'offre à l'examen médical.

Le mourir, compris à partir du langage et de l'observation du mourir de l'autre homme, nomme un arrêt de ces mouvements et la réduction de quelqu'un à quelque chose de décomposable — une immobilisation. Il n'y a pas transformation, mais anéantissement, fin d'un être, arrêt de ces mouvements qui étaient autant de signes (voir dans le *Phédon*, 117e-118a, la mort de Socrate). Anéantissement d'un mode d'être qui domine tous les autres (le visage), par-delà le résidu objectif de matière qui subsiste même si elle se décompose et se disperse. La mort apparaît comme passage de l'être au ne-plus-être entendu comme résultat d'une opération logique : négation.

Mais, en même temps, la mort est départ : elle est décès. (Dans cette idée de départ demeure cependant la négativité). Départ vers l'inconnu, départ sans retour, départ « sans laisser d'adresse ». La mort — la mort d'autrui — ne se sépare pas de ce caractère dramatique, elle est l'émotion par excellence, l'affection par excellence. Voir en ce sens, dans le *Phédon*, au début et à la fin, l'évocation de la mort de Socrate. A côté de ceux qui trouvent dans cette mort toutes les raisons d'espérer, certains (Apollodore, « les femmes ») pleurent plus qu'il ne faut, pleurent sans mesure : comme si l'humanité n'était pas épuisée par la mesure, comme s'il y avait un excès dans la mort. Elle est simple passage, simple départ — et cependant source d'émotion contraire à tout effort de consolation.

Ma relation avec la mort ne se limite pas quant à elle à ce savoir de seconde main. Pour Heidegger (*cf. Sein und Zeit*), elle est certitude par excellence. Il y a un *a priori* de la mort. Heidegger dit la mort certaine au point de voir dans cette certitude de la mort l'origine de la certitude même, et il se refuse à faire venir cette certitude de l'expérience de la mort des autres.

Il n'est pas certain cependant que la mort puisse être dite certitude, et pas certain non plus qu'elle ait la signification de l'anéantissement. *Ma* relation avec la mort est aussi faite de la répercussion émotionnelle et intellectuelle du savoir de la mort des autres. Mais cette relation est disproportionnée par rapport à toute expérience de seconde main. D'où la question : la relation avec la mort, la façon dont la mort frappe notre vie, son impact sur la durée du temps que nous vivons, son irruption dans le temps — ou son éruption hors le temps —, pressentie dans la crainte ou dans l'angoisse, peut-elle être encore assimilable à un savoir et donc à une expérience, à une révélation ?

L'impossibilité de réduire la mort à une expérience, ce truisme de l'impossibilité d'une expérience de la mort, d'un non-contact entre vie et mort ne signifient-ils pas une affection plus passive qu'un traumatisme ? Comme s'il y avait une passivité au-delà du choc. Fission plus affectante que la présence, *a priori* plus *a priori*. La mortalité comme cette modalité du temps qu'il ne faut pas réduire à une anticipation, fût-elle passive, modalité irréductible à une expérience, à une compréhension du néant. Et il ne faut pas décider trop vite qu'il n'y a de redoutable que le néant, comme dans une philosophie où l'homme est un étant qui a à être, qui persiste dans son être, sans se poser la question de savoir ce que sont le redoutable et le redouté.

Ici, la mort prend un sens autre qu'expérience de la

mort. Sens qui vient de la mort d'autrui, de ce qui là nous concerne. Une mort sans expérience et cependant redoutable, cela ne signifie-t-il pas que la structure du temps n'est pas intentionnelle, n'est pas faite de pro-tentions et de rétentions — qui sont des modes de l'expérience ?

QUE SAVONS-NOUS DE LA MORT ?

Vendredi 14 novembre 1975

Que savons-nous de la mort, qu'est-ce que la mort ? Selon l'expérience, c'est l'arrêt d'un comportement, l'arrêt de mouvements expressifs et de mouvements ou processus physiologiques qui sont enveloppés par les mouvements expressifs, dissimulés par eux — cela formant « quelque chose » qui se montre, ou plutôt *quelqu'un* qui se montre, fait mieux que se montrer : s'exprime. Cette expression est plus que monstration, plus que manifestation.

La maladie est déjà écart entre ces mouvements expressifs et les mouvements biologiques ; elle est déjà appel à la médication. La vie humaine est l'enrobement des mouvements physiologiques : elle est décence. Elle est un « cacher », un « habiller » — qui est en même temps un « dénuder », car elle est un « s'associer ». (Il y a une gradation emphatique entre montrer, habiller, s'associer). La mort est écart irrémédiable : les mouvements biologiques perdent toute dépendance à l'égard de la signification, de l'expression. La mort est décomposition ; elle est le sans-réponse.

C'est de par cette expressivité de son comportement — qui habille l'être biologique et le dénude au-delà de

13

toute nudité : jusqu'à en faire un visage — que s'exprime quelqu'un, un autre que moi, différent de moi, qui s'exprime au point de m'être non-indifférent, d'être un qui me porte.

Quelqu'un qui meurt : visage qui devient masque. L'expression disparaît. L'expérience de la mort qui n'est pas la mienne est « expérience » de la mort de quelqu'un, quelqu'un qui d'emblée est au-delà des processus biologiques, qui s'associe à moi en guise de quelqu'un.

L'âme, substantialisée comme quelque chose, est, phénoménologiquement, ce qui se montre dans le visage non chosifié, dans l'expression et, dans cet apparaître, a l'ossature, la pointe de quelqu'un. Ce que Descartes, tout en protestant contre l'image du pilote en sa nacelle, substantifie, ce dont Leibniz fait une monade, ce que Platon pose comme âme contemplant les Idées, ce que Spinoza pense comme mode de la pensée, se décrit phénoménologiquement comme *visage*. Sans cette phénoménologie, on est poussé à une substantialisation de l'âme. Alors qu'ici se pose un problème autre qu'être ou ne-pas-être, un problème avant cette question.

La mort de quelqu'un n'est pas, malgré tout ce qui en semblait à première vue, une facticité empirique (mort comme fait empirique dont seule l'induction pourrait suggérer l'universalité) ; elle ne s'épuise pas dans cet apparaître.

Quelqu'un qui s'exprime dans la nudité — le visage — est un au point d'en appeler à moi, de se placer sous ma responsabilité : d'ores et déjà, j'ai à répondre de lui. Tous les gestes d'autrui étaient des signes à moi adressés. Pour reprendre la gradation dessinée plus haut : se montrer, s'exprimer, s'associer, *m'être confié*. Autrui qui s'exprime m'est confié (et il n'y a pas de dette à l'égard d'autrui — car le dû est impayable : on n'est jamais quitte). Autrui m'individue dans la responsabilité que j'ai de lui. La mort d'autrui qui meurt m'affecte dans mon identité même de moi responsable — identité non substantielle, non pas simple cohérence des divers actes d'identification, mais faite d'indicible responsabilité. C'est cela, mon affection par la mort d'autrui, ma relation avec sa mort. Elle est, dans ma relation, ma déférence à quelqu'un qui ne répond plus, déjà une culpabilité — une culpabilité de survivant.

Cette relation est réduite à une expérience de seconde main sous prétexte qu'elle n'a pas l'identité, la coïncidence du vécu avec soi et qu'elle ne s'objective qu'en des formes extérieures. Cela suppose que l'identité du Même avec soi est la source de tout sens. Mais la relation avec autrui et avec sa mort ne remonte-t-elle pas à une autre source du sens ? Le mourir, comme mourir de l'autre, affecte mon identité de Moi, il est sensé dans sa rupture du Même, sa rupture de mon Moi, sa rupture du Même dans mon Moi. En quoi ma relation avec la mort d'autrui n'est ni savoir de seconde main uniquement, ni expérience privilégiée de la mort.

Dans *Sein und Zeit*, Heidegger pense la mort comme certitude par excellence, comme possibilité certaine, et limite son sens à l'anéantissement *Gewissheit* — ce qu'il y a de propre, de non-aliéné dans la mort, ce qui en elle est *eigentlich*. La *Gewissheit* de la mort est tellement *Gewissheit* qu'elle est l'origine de tout *Gewissen* (voir § 52).

Le problème que l'on pose ici est le suivant : est-ce que la relation à la mort d'autrui ne livre pas son sens, ne l'articule pas par la profondeur de l'affection, du redouté ressenti devant la mort d'autrui ? Est-il correct de mesurer ce redouté par le *conatus*, par le persévé-rer-dans-mon-être, par sa comparaison à la menace qui pèse sur mon être — cette menace étant posée comme unique source d'affectivité ? Chez Heidegger, la source de toute affectivité est l'angoisse, laquelle est angoisse pour l'être (la crainte est subordonnée à l'angoisse, elle en est une modification). Question : le redouté est-il dérivé ? La relation avec la mort est pensée comme expérience du néant dans le temps. Ici, on recherche d'autres dimensions de sens, et pour le sens du temps, et pour le sens de la mort.

Il ne s'agit pas de contester l'aspect négatif qui s'attache à la relation avec la mort d'autrui (déjà la haine est négation). Mais l'événement de la mort déborde l'intention qu'il semble remplir. Et la mort indique un sens qui surprend — comme si l'anéantissement pouvait introduire dans un sens qui ne se limite pas au néant.

La mort est immobilisation de la mobilité du visage qui d'avance renie la mort ; elle est lutte entre le discours et sa négation (voir dans le *Phédon* la description de la mort de Socrate), lutte où la mort confirme sa puissance négative (voir les dernières paroles de Socrate). La mort est à la fois guérison et impuissance ; ambiguïté qui indique peut-être une autre dimension de sens que celle où la mort est pensée dans l'alternative être/ne-pas-être. Ambiguïté : énigme.

La mort est départ, décès, négativité dont la destination est inconnue. Ne doit-on pas alors penser la mort comme question d'une indétermination telle qu'on ne peut pas dire qu'elle se pose comme problème à partir de ses données ? Mort comme départ sans retour, question sans donnée, pur point d'interrogation.

Que, dans le *Phédon* appelé à affirmer la toute-puissance de l'être, Socrate soit le seul parfaitement heureux, qu'intervienne un événement dramatique, que le spectacle de la mort ne soit pas supportable — ou ne le soit que pour la sensibilité masculine — tout cela souligne le caractère dramatique de la mort d'autrui. La mort est scandale, crise, même dans le *Phédon*. Cette crise et ce scandale se réduisent-ils à

16

l'anéantissement que quelqu'un subit ? Dans le *Phédon*, un personnage manque, Platon. Il ne prend pas parti, il s'est abstenu. Cela ajoute une ambiguïté supplémentaire.

La mort n'est-elle pas autre chose que la dialectique être-néant dans le flux du temps ? La fin, la négativité épuisent-elles la mort d'autrui ? La fin n'est qu'un *moment* seulement de la mort — moment dont l'autre versant ne serait pas la conscience ou la compréhension, mais la *question*, question distincte de toutes celles qui se présentent comme des problèmes.

La relation avec la mort d'autrui, relation extérieure, a comporté une intériorité (qui cependant ne se ramenait pas à l'expérience). En est-il autrement de la relation avec *ma* mort ? En philosophie, la relation avec ma mort est décrite comme angoisse et revient à la compréhension du néant. Est donc conservée, touchant la question de la relation avec ma mort, la structure de la compréhension. L'intentionnalité conserve l'identité du Même, elle est pensée pensant à sa mesure, pensée conçue sur le modèle de la représentation de ce qui est donné, corrélation noético-noématique. Mais l'affection par la mort est affectivité, passivité, affection par la dé-mesure, affection du présent par le non-présent, plus intime qu'aucune intimité, jusqu'à la fission, *a posteriori* plus ancien que tout *a priori*, diachronie immémoriale que l'on ne peut ramener à l'expérience.

La relation avec la mort, plus ancienne que toute expérience, n'est pas vision de l'être ou du néant.

L'intentionnalité n'est pas le secret de l'humain. L'*esse* humain n'est pas *conatus* mais désintéressement et adieu.

Mort : mortalité comme demandée par la durée du temps.

LA MORT D'AUTRUI ET LA MIENNE

Vendredi 21 novembre 1975

La description de la relation avec la mort d'autrui et avec notre propre mort aboutit à des propositions singulières, qu'il s'agira aujourd'hui d'approfondir.

La relation avec la mort d'autrui n'est pas un *savoir* sur la mort d'autrui ni l'expérience de cette mort dans sa façon même d'anéantir l'être (si, comme on le pense communément, l'événement de cette mort se réduit à cet anéantissement). Il n'y a pas de savoir de cette relation ex-ceptionnelle (ex-ception : saisir et mettre hors de la série). Cet anéantissement n'est pas phénoménal ni ne donne lieu à aucune coïncidence de la conscience avec lui (or ce sont là les deux dimensions du savoir). Le pur savoir (= vécu, coïncidence) ne retient de la mort d'autrui que les apparences extérieures d'un *processus* (d'immobilisation) où finit quelqu'un qui jusqu'alors s'exprimait.

Le rapport à la mort dans son ex-ception — et, quelle que soit sa signification par rapport à l'être et au néant, elle est une exception — qui confère à la mort sa profondeur n'est ni voir ni même visée (ni voir l'être comme chez Platon ni viser le néant comme

18

chez Heidegger), rapport purement émotionnel, émouvant d'une émotion qui n'est pas faite de la répercussion, sur notre sensibilité et notre intellect, d'un savoir préalable. C'est une émotion, un mouvement, une inquiétude dans l'*inconnu*.

Cette émotion n'a pas, comme le voudrait Husserl, la représentation pour base (Husserl, le premier, introduit dans l'émotion un sens, mais il le fait encore reposer sur un savoir). Mais elle ne serait pas non plus animée d'une intentionnalité spécifiquement axiologique comme le veut Scheler, qui conserve ainsi à l'émotion une ouverture dévoilante spécifiquement ontologique. Chez Scheler, l'émotion est d'emblée axée sur une valeur mais elle conserve une ouverture, elle est encore entendue comme révélation (de la valeur) ; elle conserve donc encore la structure ontologique.

Ici, il s'agit d'une *affectivité sans intentionnalité* (comme l'a bien remarqué Michel Henry dans son *Essence de la manifestation*[1]). Cependant, l'état émotionnel ici décrit diffère radicalement de l'inertie de l'état sensible dont parlait l'empirisme sensualiste. Non-intentionnalité — et cependant non-état statique.

L'in-quiétude de l'émotion ne serait-elle pas la question qui, dans la proximité de la mort, serait précisément à sa naissance ? Émotion comme déférence à la mort, c'est-à-dire émotion comme *question* ne comportant pas, dans sa position de question, les éléments de sa réponse. Question qui se greffe sur ce rapport plus profond à l'infini qu'est le temps (temps comme rapport à l'infini). Rapport émotionnel à la mort de l'autre. Crainte ou courage mais aussi, par-delà la compassion et la solidarité avec l'autre — la responsabilité pour lui dans l'inconnu. Mais inconnu qui n'est pas à son tour objectivé et thématisé, visé ou vu, mais inquiétude

1. Michel Henry, *L'Essence de la manifestation*, Paris, Presses universitaires de France, 1963, 2 vol.

où s'interroge une interrogation inconvertible en réponse
— une inquiétude où la réponse se réduit à la responsabilité du questionnant ou du questionneur.

Autrui me concerne comme prochain. Dans toute mort s'accuse la proximité du prochain, la responsabilité de survivant, responsabilité que l'approche de la proximité meut ou émeut. Inquiétude qui n'est pas thématisation, n'est pas intentionnalité, celle-ci fût-elle signitive. Inquiétude qui, ainsi, est réfractaire à tout apparaître, à tout aspect phénoménal, comme si l'émotion allait par la question, sans rencontrer aucune quiddité, vers cette acuité de la mort et instituait l'inconnu non purement négatif, mais dans la proximité sans savoir. Comme si la question allait au-delà des formes apparaissantes, au-delà de l'être et du paraître et, en cela précisément, pouvait se dire profonde.

Se pose donc ici encore la question du sens de l'émotionnel, que Heidegger nous a appris à réduire à l'affrontement avec le néant dans l'angoisse. Cette irréductibilité de l'émotionnel se montre même dans l'effort socratique du *Phédon*, dialogue qui tend à reconnaître dans la mort la splendeur même de l'être (mort = être dépouillé de tout voile, être tel qu'il se promet au philosophe et qui n'éclate dans sa divinité qu'avec la fin de la corporéité). Même là, l'approche de Socrate mourant ne perd pas sa résonance affective, alors que la reconnaissance, dans le mourir, de cette annonce de l'être (Socrate sera enfin visible dans la mort), se veut discours rationnel du savoir, théorie. C'est toute l'intention du *Phédon* : la théorie plus forte que l'angoisse de la mort. Mais il y a dans ce dialogue même l'*excès* de l'émotion : Apollodore pleure plus que les autres, il pleure au-delà de la mesure — et l'on doit chasser les femmes.

Quel est le sens de cette affectivité et de ces larmes ? Il ne faut peut-être pas interpréter d'emblée cette émotion comme intentionnalité et par là réduire l'émotion à une ouverture sur le néant — ou sur l'être dans sa connexion avec le néant — à l'ouverture d'une dimension ontologique. Comme a pu être mis en question l'apparentement affectivité-représentation chez Husserl, il faut se demander si toute affectivité remonte à l'angoisse entendue comme imminence du néant — si l'affectivité ne s'éveille que dans un étant persévérant dans son être (le *conatus*), si le *conatus* est l'humanité de l'homme, si l'humanité de l'homme est son avoir-à-être. Et cela conduit, inévitablement, à une discussion avec Heidegger.

Si l'émotion n'est pas enracinée dans l'angoisse, le sens ontologique de l'émotion est remis en question et, au-delà, le rôle de l'intentionnalité. Il n'est peut-être pas nécessaire de soutenir que l'intentionnalité est l'ultime secret du psychisme.

Le temps n'est pas la limitation de l'être mais sa relation avec l'infini. La mort n'est pas anéantissement mais question nécessaire pour que cette relation avec l'infini ou temps se produise.

Les mêmes problèmes se posent quand on parle de la mort comme *ma* mort. La relation à mon propre mourir n'a pas le sens de savoir ou d'expérience — fût-ce au sens de pressentiment, de prescience. On ne sait pas, on ne peut assister à son anéantissement (si tant est que la mort soit anéantissement) — et cela non pas seulement à cause du néant qui ne peut se donner comme événement thématisable (voir Épicure : « Si tu es là, la mort n'est pas là ; si elle est là, tu n'es pas là. ») Ma relation avec ma mort est non-savoir sur le mourir même — non-savoir qui n'est pas cependant absence de relation. Peut-on décrire cette relation ?

Ce que le langage nomme mort — et qui est perçu comme la fin de quelqu'un — serait aussi une éventualité transférable sur soi-même. Transfert qui n'est pas une mécanique mais appartient à l'intrigue ou intrication du Moi-même et vient couper le fil de ma propre durée, ou faire un nœud dans ce fil, comme si le temps que dure le moi traînait en longueur.

Parenthèse sur la compréhension du temps ici exposée :

La durée du temps comme relation avec l'infini, avec l'incontenable, avec le Différent. Relation avec le Différent qui cependant est non-indifférent et où la diachronie est comme le *dans* de l'autre-*dans*-le-même — sans que l'Autre puisse entrer dans le Même. Déférence de l'immémorial à l'imprévisible. Le temps est à la fois cet Autre-dans-le-Même et cet Autre qui ne peut être ensemble avec le Même, ne peut être synchrone. Le temps serait donc inquiétude du Même par l'Autre, sans que le Même puisse jamais comprendre l'Autre, l'englober.

L'acuité de ce transfert tient à l'ensemble des significations de la mort de l'autre et au contexte dans lequel la mort est transférée. Transfert — mais transfert qui ne se fait pas de manière indifférente, mais appartient à l'intrigue du Moi, à l'identification du Moi.

Comment penser le Moi dans son identité, son unicité — ou comment penser cette unicité du Moi ? Peut-il être pensé comme chose identifiée (identité de la chose : série de visées confirmées les unes par les autres, accord des intentions) ? Le Moi doit-il être pensé comme identification dans la réflexion sur soi qui assimile l'autre à soi — au prix de ne plus pouvoir se distinguer de la totalité ainsi formée ? Aucune de ces deux solutions ne convient ; il en faut une troisième.

Le Moi — ou moi dans ma singularité — est quelqu'un qui échappe à son concept. Le moi ne pointe dans son unicité qu'en répondant d'autrui dans une responsabilité à laquelle il n'y aura pas de dérobade, dans une responsabilité dont je ne saurais être quitte. Le moi est identité de soi-même qui se ferait de par l'impossibilité de se faire remplacer — devoir au-delà de toute dette — et ainsi patience dont aucune assomption ne saurait démentir la passivité.

Si l'unicité du Moi est dans cette patience — patience qui doit se risquer dans l'éventualité du non-sens, patience qui se doit même devant un découvert de l'arbitraire — alors une patience non acquittable est possible. Il faut une ouverture sur une dimension qui est un découvert, ridiculisant la noblesse ou la pureté de la patience, l'entachant. Si la patience a un sens en tant qu'obligation inévitable, ce sens devient suffisance et institution s'il n'y a pas au-dessous un soupçon de non-sens. Il faut donc qu'il y ait dans l'égoïté du Moi le risque d'un non-sens, d'une folie. Si ce risque n'était pas là, la patience aurait un statut, elle perdrait sa passivité.

La possibilité du non-sens capable de chasser toute entreprise qui pourrait entrer dans la passivité de la patience est cette déférence à la mort qui n'est pas sens, n'est pas situable, pas localisable, pas objectivable — versant d'une dimension impensable, insoupçonnable. Non-savoir, non-sens de la mort, déférence au non-sens de la mort, voilà ce qui est nécessaire à l'unicité même du Moi, à l'intrigue de son unicité. Non-savoir qui se traduit dans l'expérience par mon ignorance du jour de ma mort — ignorance en vertu de laquelle le moi tire des chèques à découvert comme s'il disposait de l'éternité. Et cela, cette ignorance et cette insouciance, ne doit pas être interprété comme divertissement ou comme chute dans la déchéance.

La mort, au lieu de se laisser décrire dans son événement propre, nous concerne par son non-sens. Le point qu'elle semble marquer dans notre temps (= notre relation à l'infini) est pur point d'interrogation : ouverture sur ce qui n'apporte aucune possibilité de réponse. Interrogation qui est déjà une modalité de la relation avec l'au-delà de l'être.

Les affirmations précédentes reposent sur un certain nombre de présupposés qu'il faut à présent expliciter :
— S'il n'y a pas d'expérience de la mort, l'interprétation de la mort comme intentionnalité doit être mise en question ;
— Affirmer l'affectivité dans les relations avec la mort d'autrui et avec ma propre mort place ces relations au sein de la relation avec le Différent, le sans-commune-mesure, qu'aucune réminiscence ni anticipation ne sauraient rassembler en synchronie ;
— Qu'au sein de cette relation, la relation avec la mort vienne comme interrogation devant autrui, devant sa démesure, voilà où nous cherchons le rapport entre la mort et le temps ;
— L'intentionnalité qui, chez Husserl, tisse la dentelle du temps, n'est pas l'ultime secret du psychisme ;
— L'esse humain n'est pas primordialement conatus mais otage, otage d'autrui ;
— L'affectivité ne plonge pas ses racines dans l'angoisse comme angoisse du néant.

Tout cela doit être repris dans un dialogue avec Heidegger chez qui, en une autre modalité, est affirmée la relation étroite de la mort et du temps.

UN PASSAGE OBLIGÉ : HEIDEGGER

Vendredi 28 novembre 1975

La mort : question inquiétant dans son sans-repos plutôt que dans sa position de problème. L'inquiétude : le non-reposé. L'inquiétude n'est pas une modalité de l'intentionnalité ; c'est l'intentionnalité qui, au contraire, est une modalité de ce ne-pas-reposer-en-soi de l'in-quiétude. L'émotion mue par cette question n'est pas à interpréter immédiatement par rapport au couple être-néant, contrairement à cette pensée qui voit dans l'être de l'homme le *conatus,* la mort comme menace pour ce dernier et, dans l'angoisse, la source de toute affectivité.

Ici, proposition d'un humain plus humain que le *conatus* et qui serait la tenue-en-éveil, la vigilance (vigilance qui n'est pas vigilance à...) — éveil du pour-soi se suffisant dans son identité par l'altérité inabsor-bable de l'autre, incessant dégrisement du Même enivré de soi. Cet éveil doit être pensé comme éveil dans l'éveil : l'éveil comme tel devient un état — il faut donc un éveil de cet éveil. Il y a une itération de l'éveil. Éveil par la démesure ou l'infini de l'autre.

Cette tenue-en-éveil, pensée concrètement et jusqu'à son emphase, est responsabilité pour autrui — respon-sabilité d'otage. Éveil qui ne s'arrête jamais : on ne

25

doit pas de *dette* à autrui. Éveil par l'infini — mais qui
se produit concrètement en guise d'un appel irrésis-
tible à la responsabilité. D'où la passivité : à aucun
moment je ne puis être tranquillement pour-moi.

Passivité ou patience qui s'étire en guise de longueur
du temps. Le temps serait une façon de se déférer à
l'infini sans jamais pouvoir le contenir ou le comprendre.
Ce jamais serait comme le toujours du temps, la durée
du temps. (Une telle passivité, passivité d'otage, ne
peut exister dans une société organisée, un État, etc.)

Éveil où l'inconnu, où le non-sens de la mort, est
l'empêchement de toute installation dans une quelconque vertu de la patience et où le redouté surgit
comme la disproportion entre moi et l'infini — comme
être-devant-Dieu, comme l'à-Dieu même.

Ces propos consistent à penser d'une certaine façon
la relation entre la mort et le temps. Ce rapport a été,
dans un autre esprit mais avec une rigueur et une
vigueur extrêmes, soutenu par Heidegger. Il faut d'abord
étudier le contexte où est posée la question, les paragraphes 1 à 44 de *Sein und Zeit*. (Il est moins question
de la mort dans les derniers écrits de Heidegger.) Cette
première partie de l'ouvrage introduit la question que
ce philosophe a renouvelée, celle de l'ontologie fondamentale qui porte sur la signification *verbale* de
l'être. Par-là, Heidegger a réveillé la sonorité verbale
de l'être dans sa différence à l'étant (l'étant : le sens
substantif de l'être, ce que l'on peut montrer, thématiser ; en termes de grammaire : le nom, le substantif[1]).

Le verbe être est d'ores et déjà, avant toute ontologie
explicite, compris par les hommes. Il est compris pré-
ontologiquement et donc sans entente pleine, mais au

1. Voir *Autrement qu'être*, pp. 49-55.

contraire avec subsistance de questions. Il y a donc, dans la compréhension pré-ontologique de l'être, la question de l'être, laquelle est ainsi question possédant une pré-réponse. Il faut donc s'approcher du sens de l'être à partir de l'homme qui est un étant comprenant l'être et questionnant, s'interrogeant sur l'être. Mais questionner sur l'être, ce n'est pas poser une question banale sur la constitution de quelque étant. Cette interrogation n'est pas une particularité psychologique, elle serait au contraire essentielle à l'homme (mais pas au sens de l'attribut essentiel spinoziste). Cette question serait essentielle en tant que la façon même d'être de l'homme. L'attribut essentiel de l'homme consiste à être d'une certaine façon.

La façon dont l'homme est, dont il fait son métier d'être, mène son train d'être, c'est son être au sens verbal du terme, et qui consiste précisément à s'interroger sur le sens du verbe être. Une telle interrogation n'est pas une représentation — mais c'est mener son train d'être, c'est avoir-à-être : non pas se confondre avec l'être qu'il faut comprendre, mais en saisir les possibilités.

L'être et sa signification importent tellement à l'homme que c'est là son affaire propre. La relation entre ce qui est en question et le questionnement est relation unique ; c'est le fait même d'avoir une affaire en propre, la mienneté, la *Jemeinigkeit*. Cette étroitesse du rapport entre le questionnement et ce qui est en question permet que, pour la première fois avec cette rigueur, le Moi soit « déduit » de l'ontologie, « déduit » de l'être, que le personnel soit « déduit » de l'ontologique. Voir § 9 : le *Dasein* a une *Jemeinigkeit* et, parce qu'il a une *Jemeinigkeit*, il est *Ich*. Ce fait même de la mienneté mesure la façon d'être concerné par l'être et qui, concrètement, signifie le pouvoir-être[1].

1. Voir *De Dieu...*, pp. 81-82.

L'homme ayant pour affaire propre (au sens de *Sache*, bien que le mot ne figure pas dans *Sein und Zeit*) l'être à faire, à accomplir, à mener selon son train d'être, son essence consiste à avoir-à-être. Il va donc être dans son questionnement, il va questionner. Il faut qu'il y ait une distance entre son être et l'être qu'il saisit : il va donc être une ek-sistence.

L'homme est l'être pour qui, dans son être, il y va de son être même, qui a à saisir son être. Aussi n'est-il pas désigné comme *Daseiende*, mais comme *Dasein*. Comprendre l'être, c'est avoir à être. Donc son être et l'être à comprendre, c'est presque le même être (voir la *Lettre sur l'humanisme*).

Cette mienneté, cet avoir à accomplir son être, l'avoir en avant de soi comme possibilité à saisir, à exister, doivent être décrits. Décrire cette existence, c'est décrire le s'interroger-sur-l'être. Ou, inversement, décrire l'humanité de l'homme à partir de son existence, de son *Dasein*, c'est exactement décrire l'interrogation de l'homme portant sur l'être.

La formule « le *Dasein* est un être pour qui dans son être il y va de son être » était séduisante dans *Sein und Zeit*, où elle signifiait le *conatus*. Mais le *conatus* est en réalité déduit du degré d'astriction à l'être de cet étant. Il n'y a pas d'existentialisme ici. Ici, l'homme est intéressant parce qu'il a été astreint à l'être — et son astriction à l'être est son questionnement. Le *conatus* mesure l'obéissance à l'être, l'intégralité de cet être-au-service-de-l'être qui est à la charge de l'homme (*Lettre sur l'humanisme*). L'affaire d'être est à tel point sienne que la signification de cet être est *son affaire*.

L'homme est aussi *Da, là,* parce que cette façon d'avoir l'être à sa charge n'est pas affaire intellectuelle, mais toute la concrétude de l'homme. Le *Da* est la manière d'être-là dans le monde, qui est questionner sur l'être. La recherche de la signification de l'être ne vient pas de la même façon que chez Aristote. Comme Aristote (voir *Métaphysique*, A, 2), Heidegger parle d'étonnement, mais, pour Aristote, l'étonnement n'est rien d'autre que la conscience de son ignorance : le savoir vient de ce que je veux savoir. Il y a là totale séparation entre la (*Sorge*) et le questionnement, total désintéressement du savoir. Il n'en va pas de même chez Heidegger.

Sein und Zeit peut être lu comme explicitant — en vue de répondre à la question de l'ontologie fondamentale — le *Da* du *Dasein* comme l'étant qui se préoccupe d'être et doit être au préalable éclairé pour poser la question de l'être. D'où l'analytique du *Dasein*. En réalité, le fait que le *Dasein* de l'homme fait de l'être son affaire, sa question, le fait qu'il a en charge de questionner, c'est le propre de l'être : c'est le propre de l'être que de se mettre en question. L'analytique du *Dasein* est donc déjà un pas dans la description de l'être. *Sein und Zeit* n'est pas une préparation de l'ontologie, mais déjà un pas dans l'ontologie elle-même.

La première caractéristique de l'être, c'est d'être déjà en question. D'être lui-même fini, en question, contesté. Être en question, c'est-à-dire être de telle façon qu'il ait toujours à être, grâce à un étant qui a à être, être de telle façon qu'il y ait un étant qui a à se le rendre propre, à *sich zu ereignen*. Être en question, c'est être *Ereignis* (on n'a pas vu cela en France dans les années trente, parce qu'on a traduit *eigentlich* par *authentique*). La question se pose donc de savoir si l'être au sens verbal ne revient pas à se laisser approprier, à être événement et ainsi à susciter l'humain et le personnel (voir le § 9 où tous les modes du *Dasein* sont *eigentlich*, y compris ceux qui sont dits *uneigentlich*).

Dans *Sein und Zeit*, Heidegger explicite ce que signifie concrètement l'être-là où l'être est compris,

pris, approprié. Cette analyse phénoménologique aboutit à la formule : être-là, c'est être au monde en tant qu'être auprès des choses dont il faut prendre soin. D'où le souci. D'où les existentiaux. Le souci a structure de question *comment* et non de question *quoi*. Les existentiaux sont réunis dans une formule unique : être d'ores et déjà au-devant de soi au monde (= auprès des choses). Là se pose le problème : ces existentiaux sont-ils une totalité, forment-ils quelque chose d'entier, d'originel ?

La formule « être d'ores et déjà au-devant de soi en tant qu'être au monde » contient des formules temporelles : « d'ores et déjà », « au-devant », « auprès de ». Il y a ici une tentative de décrire la temporalité sans faire intervenir l'écoulement d'instants, le temps qui coule. Souci de rechercher un temps originel qui ne se définirait pas comme fleuve qui coule.

Dans une conférence inédite antérieure à *Sein und Zeit*[1], Heidegger notait l'impossibilité qu'il y a à poser la question « qu'est-ce que le temps ? ». Si on la pose, on répond déjà : c'est un étant. A cette question est alors substituée cette autre : *qui* est le temps ? Reprenant par ailleurs Aristote (« Le temps est le nombre du mouvement[2] »), il notait que nous accédons au temps en le mesurant, que notre accès primitif au temps se fait à partir de l'horloge. Ici, avec les formules temporelles « d'ores et déjà », « auprès de », « au-devant de », il y a tentative d'accéder au temps autrement qu'à partir de ce qui le mesure. Heidegger va déduire le temps mesurable à partir du temps originel.

1. Voir plus haut, p. 7, note 1.
2. Aristote, *Physique*, IV, 11, 219b.

L'ANALYTIQUE DU *DASEIN*

Vendredi 5 décembre 1975

On pourrait se demander quel est le rapport entre les énoncés qui se font jour dans ce cours et l'étude qui se fait dans les sciences.

Les concepts de nature et de science naturelle, en dehors de leur élaboration intérieure à la science, procèdent d'une méta-science, d'une intelligibilité, d'une signifiance qui signifie dans les relations humaines et inter-humaines concrètes. Jamais la science ne travaille sans que résonnent en elle les échos de cette infra-structure d'intelligibilité ou de signifiance, de cet horizon de sens qu'il convient d'expliciter.

S'il s'agit de la vie et de la mort, objectivement traduites, il convient de dégager ces horizons de sens, et dans la relation de l'homme et de la mort, et dans l'impact de la mort sur le temps humain, dans l'impact de la mort dans sa possibilité toujours ouverte, dans son indétournable nécessité dont l'heure reste inconnue. Reconnaître cette co-détermination, reconnaître que l'humain n'est pas une raison universelle simplement incarnée ou individuée mais signifie une intrigue propre, une rupture où la geste d'être se revêt de sens, où, peut-être, elle se défait en sens — rupture sans laquelle l'objectif menace de subreption (de « glissement de sens » selon le terme de Husserl).

« Se défait en sens » : le surgissement de l'humain est peut-être la rupture de l'épopée de l'être par la relation de l'un à l'autre (domaine de l'éthique) qui ne serait pas un étage au-dessus de l'être, mais la gratuité où le *conatus*, où la persévérance dans l'être se dé-fait.

Précisions :

— Le temps doit être considéré dans son attente sans visée d'attendu, comme ayant englouti son intentionnalité d'attente, attendant comme patience ou pure passivité, pur subir sans assomption (contrairement à la souffrance où il y a assomption). Non-assomption de ce qui n'est égal à aucun contenu. Non-assomption de l'infini, inquiétude : relation sans le vouloir de l'intentionnalité qui est un vouloir à sa mesure. Ainsi y aurait-il déférence sans que jamais l'on puisse obtenir l'atteinte. Le *jamais* de la patience serait le *toujours* du temps.

— Déférence dans l'inquiétude et, ainsi, éveil, et éveil comme éveil pour le prochain dans la responsabilité pour lui. Responsabilité à laquelle on ne se dérobe pas : le fait d'être irremplaçable dans la responsabilité pour autrui me définit, moi, et moi unique. Éveil dans lequel l'éveil ne se complaît pas dans son état d'éveil et ne s'endort pas debout.

— Parce qu'il faut bien une phénoménologie des concepts naturalistes (ne serait-ce que pour travailler et prendre des notes), nous nous tournons vers celle qu'élabore Heidegger.

Le cours précédent visait à montrer le sens que l'analytique du *Dasein* a pour le problème de l'ontologie. Ce n'est pas seulement celui d'une propédeutique.

L'être est en question dans le *Dasein*, et être en question est, si l'on peut dire, le *statut* de l'être verbe, la façon dont se fait son épopée, sa geste. Être en question est essentiel à cette essance. Le *Da* du *Dasein*, qui est à la fois question mais aussi déjà compréhension de l'être verbe, est un fondement sans fond et a été élaboré dans la structure du souci.

L'existence humaine (ou le *Da-sein*) se laisse décrire dans son *Da* (être-au-monde) par trois structures : *être-au-devant-de-soi* (projet), *d'ores-et-déjà-au-monde* (facticité), être au monde en tant qu'*être-auprès-de* (auprès des choses, auprès de ce qui se rencontre à l'intérieur du monde).

C'est là la structure du souci, dans laquelle on trouve une référence temporelle décrite uniquement à partir des relations dans le *Dasein*.

$$\text{Temps} \begin{cases} \text{projet — avenir} \\ \text{d'ores et déjà — passé} \\ \text{auprès de — présent} \end{cases}$$

(Cette structure est présentée par Heidegger comme *co-originaire*, comme surgissant de même *Ursprung*, de même primesaut. Paradoxale simultanéité de la diachronie.)

La question de l'être, qui équivaut à la compréhension de l'être, n'est pas un savoir désintéressé comme celui dont parle Aristote en *Métaphysique* A, 2 (désintéressement digne des dieux). L'analytique du *Dasein* n'est pas une approche quelconque du sens verbal du mot être par une humanité venue d'on ne sait où et curieuse de savoir. Cette anthropologie révèle la façon exacte dont l'aventure d'être mène son train, aventure qui n'a pas la sécurité d'un événement fondé sur la terre ou de quelque principe s'imposant de lui-même, absolu ou divin (noter que le mot « absolu » n'apparaît nulle part dans *Sein und Zeit*). Mais, précisément, il est question qui est la scène où l'être se joue, aventure qui est menée comme livrée à des risques que comporte cette façon de se mettre en question dans le *Dasein* dont il est l'affaire propre au point d'en requérir la *mienneté* (la possibilité du « mien » et de tout « avoir »). Cette aventure d'être est comme une aventure dans une aventure (précarité). L'être ici se donne dans une générosité extrême, dans une gratuité, un désintéressement extrêmes. On notera qu'il y a beaucoup de vertus chrétiennes dans l'être « présocratique » (générosité, pudeur, humilité, etc.), et Heidegger voudra enseigner que ces structures ou ces vertus ont une racine dans l'être même. *La seule question est la suivante :* ces significations éthiques ne *présupposent-elles* pas l'humain dans le sens de (ce qui est) *rupture* de l'être ?

La structure du souci désigne la compréhension de l'être dans le *Da* comme toujours référée à la rencontre des choses et comprenant à partir de ces choses. Ce qui correspond chez Heidegger à la vie quotidienne dans toute sa banalité, dans son style banal de vie s'étendant dans la succession des jours et des nuits, des « travaux et des jours », remplie d'occupations et de distractions (la vie comme série interminable de dîners, disait Pouchkine). Ce mode d'existence est pris pour la réalité même de la vie. Cette manière d'être, cette vie quotidienne est une possibilité qui, pour Heidegger, n'est pas étrangère à la mienneté, à l'affaire propre, à l'authenticité (et donc à la compréhension et au questionnement). Elle en dérive, elle y renvoie, et elle semble rendre méconnaissable ce saut premier (ce primesaut), cette *Ursprung* de l'existence vers l'affaire de l'être qui est *question*.

Dans *Sein und Zeit*, l'analyse se fait à partir de la vie quotidienne, à partir de cette existence non-mienne quoique dérivée du proprement mien. La co-originarité des structures du souci peut-elle se retrouver dans quelque chose qui ne soit pas la simultanéité du quotidien ?

Si le quotidien s'arroge le privilège de signifier le *Dasein*, il ne permet plus de comprendre la structure du projet, de l'au-devant-de-soi, lequel décrit le *Dasein* comme tâche d'être, comme possibilité devant être saisie. Dans le temps quotidien, l'unité du moi n'apparaît que lorsque le temps de chaque vie est écoulé : le *Dasein* n'est total que dans sa nécrologie, « tel qu'en lui-même enfin l'éternité le change ». La totalité s'accomplirait au moment même où la personne cesserait d'être personne. Heidegger écrit à ce propos : « Au souci, tel qu'il forme la totalité du tout structurel du *Dasein*, répugne manifestement, conformément à son sens ontologique, un être-tout possible de cet étant[1]. »

Le moment primaire du souci, être-au-devant-de-soi, ne signifie-t-il pas que le *Dasein* est en-vue-de (en vue de lui même) ? Tant qu'il se rapporte à sa fin, il se rapporte *à son pouvoir d'être* ; même lorsque, encore existant, il n'a plus rien devant lui, son être reste déterminé par le au-devant-de-soi. Même le désespoir, le sans-espoir, n'est qu'un mode propre de l'être à l'égard de ses possibilités. De même être prêt à tout, sans distance par rapport à son avenir, sans illusions, recèle encore un au-devant-de-soi.

Dans la description du souci, il y a l'exclusion de la totalité. « Ainsi, ce moment structurel du souci indique sans équivoque qu'il y a encore dans le *Dasein* un *excédent*, quelque chose qui, en tant que pouvoir-être de lui-même, n'est pas encore devenu effectif[2]. » Il y a donc, dans la structure du souci, une permanente non-clôture du *Dasein*. La non-totalité signifie le « dehors » du *Dasein*. La disparition de la distance, de *cette* distance, équivaut à la disparition du *Dasein*. Dans la

1. Heidegger, *Être et Temps*, trad. Emmanuel Martineau (choisie pour l'ensemble de cette édition, encore qu'elle soit postérieure à la tenue du cours même), Paris, Authentica, 1985 (éd. hors commerce), § 46, p. 176 (p. 236 du texte allemand).
2. *Id., ibid.*

structure du *Dasein*, il y a l'impossibilité de saisir le tout, l'impossibilité d'être tout pour un étant qui est toujours dans le possible.

Mais Heidegger se demande si, ici, il n'a pas traité du *Dasein* sur le modèle de la réalité à l'étalage *(Vorhandenes)*, de la réalité purement présente. Or c'est du *Dasein* qu'il s'agit. Que signifie alors *pour le Dasein* être un tout ?

Dans le *Dasein* tel qu'il est, quelque chose manque, quelque chose est encore en manque, d'un manque qui appartient à l'être même, et ce manque, c'est la mort. C'est donc par une certaine relation à la mort que le temps sera possible, temps par rapport auquel se pose la question de la possibilité du tout.

Deux questions se posent simultanément :
— Que signifie alors le temps « authentique » ?
— Le tout est-il possible ?
Le cours prochain aura à examiner ces deux questions : comment penser le *Dasein* comme un tout ? Cela peut-il nous mener à penser un temps authentique ?

LE *DASEIN* ET LA MORT

Vendredi 12 décembre 1975

Il y a une image courante du temps au sein de laquelle la mort apparaît comme *fin* de la durée d'un être dans le flux ininterrompu du temps. La mort est alors destruction de chose. L'apport heideggérien, chez qui à la mort reste attaché le sens non équivoque de fin, consistera à repenser le temps lui-même à partir de cet anéantissement et ainsi à substituer aux concepts vulgaires de mort et de temps des concepts philosophiques. C'est pourquoi fut ici exposé le rapport de ces notions chez Heidegger. Il y a passage nécessaire par une lecture de Heidegger, même si la mort ne nous a pas semblé se résumer à l'anéantissement — ni à la présentation de l'être pur comme dans le *Phédon*. C'est à la question sans donnée, modalité d'une exclusion, faisant penser à un tiers-exclu (en dehors de l'alternative être-néant), que la mort semble appeler une difficile ou une impossible pensée — pensée ou in-quiétude — à laquelle il faudra cependant s'accrocher et qu'il faudra approcher en guise de question sans donnée, qu'il faudra supporter.

Pour Heidegger, le problème de l'anthropologie n'est pas primordial. Heidegger ne s'intéresse pas à la signification de l'exister humain pour lui-même. L'humain ne surgit dans sa réflexion que comme l'être en question de l'épopée de l'être. Le *Sein* est en question dans l'homme et l'homme est nécessaire parce que l'être est en question. L'homme est une modalité de l'être. Le *Dasein* est ce fait même que l'être est en question.

La façon dont Heidegger va vers la mort est entièrement commandée par la préoccupation ontologique. Le sens de la mort de l'homme est commandé par cette préoccupation de l'être en son *épos.* Dès lors, pour Heidegger, il faut s'assurer que l'analyse de l'être-là, menée comme analyse de la question où l'être est en question, développe l'*esse*, l'être dans son sens propre, selon son sens propre et non pas selon une déformation dérivée quelconque (propre que l'on traduit par « authentique », c'est-à-dire par un mot qui cache ce qu'il y a dans propre : *eigentlich*).

Où trouver le critère de cette originarité, de cette « authenticité », sinon dans l'appropriation même de la question d'être par l'être-là ? Sens propre dans l'appropriation, dans ce que Heidegger appellera plus tard l'*Ereignis*. Là où l'affaire de l'être est imposée à l'être-là au point de se faire sienne — au point que quelqu'un dise à la première personne : cette affaire est mienne. Ainsi le propre surgit de son primesaut comme mienneté où, à force d'avoir ce questionnement en propre, cette affaire d'être dans le questionnement se fait questionnement de moi. (L'*Ereignis* de *Zeit und Sein* est déjà dans *Sein und Zeit*.) Que cette assomption de la question de l'être comporte la fin, que la mort soit ainsi ce qui peut se produire de plus mien — telle sera l'analyse heideggérienne plus tard. Dans le surgissement du propre s'annonce déjà la mort.

Cette appropriation, cet *Ereignis*, cet à-être où l'appropriation elle-même surgit originaire, où elle s'origine, surgit de son primesaut, où la relation à l'être concerne le *Dasein* en tant que sienne propre — c'est là que le *Dasein* se rassemble en son sens propre. C'est là que prend sens la distinction du propre et du dérivé.

Or, dans les paragraphes 1 à 44 de *Sein und Zeit*, toute l'analyse du *Da* (= le questionnement de l'être qui est compréhension) en tant que souci a été menée à partir des formes de l'être que présuppose cette mienneté. C'est dans le quotidien que le *Da* a été analysé. L'être-là s'est alors montré non dans son appropriation mais dans son aliénation, fuyant sa tâche d'être et ainsi en dérive, s'éloignant de son attachement indénonçable à la tâche d'être.

L'être-là ainsi décrit peut-il jamais être rappelé à son sens d'être ? Inversement, le *Dasein*, rassemblé en un tout, s'il pouvait se rassembler ainsi, ne perdrait-il pas sa structure d'avoir-à-être, d'être-au-devant-de-soi ? Et ainsi ne perdrait-il pas son existence même (avoir-à-être) pour qu'il s'expose comme en vitrine (selon la traduction par Maldiney[1] de la *Vorhandenheit*) ? Rassemblé, arrivé à sa fin et à ses fins, l'*esse* du *Dasein*, une fois les heures de sa vie parcourues, ne serait-il pas mort, tout proche de la chose, et ainsi en vitrine, exposé, portrait de musée ?

Dans le *Dasein*, tant qu'il est, quelque chose est toujours en manque — précisément ce qu'il peut être et devenir. A ce manque appartient la fin elle-même ; mais la fin de l'être-au-monde, c'est la mort. Il s'agit de dérouler pour une fois la question du pouvoir-être-un-tout du *Dasein*, alors que la fin de l'être-au-monde, c'est la mort. C'est par une certaine relation à la mort que le *Dasein* sera un tout.

D'où la question : être à la fin peut-il encore être pensé comme être à distance de soi ? Peut-il y avoir une signification de l'être-là comme tout par-delà la

1. Voir H. Maldiney, *Regard, parole, espace*, Lausanne, L'Age d'Homme, 1973.

biographie ? Est-ce qu'une personne comme tout est possible ?

À moins que le temps comme relation à la mort se laisse penser autrement que comme pure et simple flux ou flot d'instants. On ne peut sortir de l'aporie qu'en repensant la notion du temps.

La question « de quelle façon le *Dasein* peut-il être saisi comme totalité et comme menant proprement son train ? » qui, dans la systématique de *Sein und Zeit*, est destinée à élaborer l'être comme mise en question, nous a conduit à une temporalité ou durée du temps où l'ipséité comme tout ne se détruit pas du fait de son histoire temporelle, où cette totalité ne signifie pas la totalité d'une chose sans vie temporelle. (C'est le problème même de ce qu'est la personne. Biographie ou substance assistant à sa biographie, les deux solutions sont ici rejetées.)

Il se trouvera que cette ipséité du *Dasein*, faite à partir de l'appropriation de l'affaire de l'être par l'être-là en l'homme, est authentique dans l'appropriation d'une possibilité où cette appropriation est la plus propre, la plus incessible, au point d'être inévitable : la mort. Le temps sera précisément, en tant qu'au-devant-de-soi, cette appropriation ou cet affrontement de la mort, où l'ipséité du *Dasein* est entière. Le *Dasein* sera ainsi propre, ou proprement pensé — le souci de l'être qui dans son être dont il a souci est voué au néant. Par conséquent, à la fois angoissé pour l'être et devant l'être (ce néant qui effraie est aussi le néant que l'on veut). Angoisse à la fois pour et devant : ce *pour quoi* on est angoissé est à la fois ce *devant quoi* on est angoissé — contrairement à la peur où j'ai peur *du chien* et peur *pour moi* (voir le § 30).

Ainsi, la totalité de l'être humain et de son être-là propre est recherchée sans aucune intervention d'autrui, uniquement dans le *Dasein* en tant qu'être-au-monde. Le sens de la mort est dès le départ interprété comme *fin* de l'être-au-monde, anéantissement. L'énigme est effacée du phénomène[1]. La temporalité ou durée du temps, sans être identifiée avec l'interprétation vulgaire (flux), est interprétée comme au-devant-de-soi, être à-être qui est aussi question en tant que pré-compréhension : question avec donnée. Donc, d'un bout à l'autre, l'ontologie, la compréhension de l'être et du néant, reste source de tout sens. En aucune façon l'infini (qui vient peut-être approcher la pensée avec la diachronie, la patience et la longueur du temps) n'est jamais suggéré par cette analyse. Depuis Kant, la philosophie est finitude sans infini.

Il n'est pas possible de ne pas lire la fin et l'anéantissement dans le phénomène de la mort. Mais elle ne coïncide pas avec la destruction d'un objet inanimé ou d'un vivant quelconque, avec l'érosion d'une pierre ou l'évaporation d'une eau où toujours, après la destruction des configurations, subsistent les matériaux et où la destruction elle-même se place entre un avant et un après qui appartiennent, avec la destruction, à la même ligne du temps, au même apparaître, au même monde. La fin de la mort coïncide-t-elle avec la destruction d'une forme ou d'une mécanique — ou bien ne sommes-nous pas inquiétés par un surplus de sens ou un défaut de sens quand il s'agit de la mort de l'homme ? Mort de l'homme à partir de laquelle, peut-être, se comprend toute mort de vivant (là aussi il pourrait y avoir comme un surplus ou un défaut de sens par rapport à l'anéantissement).

Il y a là une fin qui a toujours l'ambiguïté d'un départ sans retour, d'un décès, mais aussi d'un scandale (« est-il possible qu'il soit mort ? ») de non-réponse

1. On ne peut ici ne pas se rappeler le titre d'un important essai de Lévinas, « Énigme et phénomène » (1965), repris dans *En découvrant l'existence avec Husserl et Heidegger*, Paris, Vrin, 1967 (2e éd.).

41

et de ma responsabilité. Départ sans que je puisse lui conférer un quelconque lieu d'accueil. Comme une exclusion autre que la négation — celle-là même qui exclut la contradiction être-néant — en guise de tiers-exclu (en rien un monde à viser) : le soulèvement même de la question, laquelle ne se déduit en aucune façon des modalités de l'être et qui est par excellence question sans réponse et question à laquelle toute question emprunte sa modalité d'interrogation.

Il faut s'en tenir là et supporter par la pensée cette question qui ne se pose pas comme problème, cette question para-doxale, il faut s'entêter dans cette question pour parler de la mort et du temps et, là où une telle para-doxie se peut, en décrire toutes les significations qui ne se fondent sur aucun renseignement quant à l'au-delà.

Infini que le fini ne peut tirer de lui-même mais que le fini pense.

Le temps de notre vie que la mort saisit emprunte-t-il son sens en premier lieu à cette émotion (l'angoisse) ou bien cette émotion vient-elle de cette question sans possibilité de réponse ? Il faut supporter cette question qui se demande si c'est par son néant que cette fin marque notre temps et si cette angoisse est la vraie émotion de la mort, si le temps emprunte sa signification de durée à cette fin ou si l'interrogation vient de l'inconnu sans réponse.

MORT ET TOTALITÉ DU *DASEIN*

Vendredi 19 décembre 1975

Phénomène de la mort derrière lequel se tapit la mort comme question sans données, irréductible à aucune modalité doxique des catégories kantiennes. Au-delà ou à côté de la position de question à laquelle il faut se tenir pour parler de la mort et pour penser le temps où se peut cet impossible. Modalité qui n'emprunte rien à un renseignement quelconque sur l'au-delà — mais à partir de laquelle des « renseignements sur l'au-delà » pourraient au contraire prendre sens. Le temps doit être compris dans sa durée et sa diachronie comme déférence à l'inconnu.

Heidegger se demande si l'expérience de l'être-là comme totalité ne peut pas être donnée par l'expérience de la mort de l'autre homme. Celle-ci a l'avantage de m'être donnée, alors que ma propre mort est la suppression de l'expérience que je pourrais en avoir. Mais cette tentative d'aborder la mort dans l'autre homme se heurte aux mêmes difficultés que celles rencontrées à propos de ma propre mort. La mort de l'autre est un achèvement effectif et ne peut donner

43

accès à l'expérience de la totalité du *Dasein* en tant que *Dasein* (tout se passe ici comme si l'expérience était la chose la plus profonde qui puisse nous arriver).

Bien qu'il soit sans issue, ce détour par la mort de l'autre a cependant un aspect positif pour la recherche : dans ce détour, tout se passe comme si nous pensions trouver l'expérience de la mort dans l'expérience d'une chose qui arrive à tout le monde. *Mais nous manquons alors la mort propre.* On ne voit pas alors dans la mort la possibilité la plus propre ; elle ne collerait pas à chacun comme sa possibilité la plus propre. La mort se montre alors comme possibilité sans substitution possible. On peut sans doute « *für einen Anderen in den Tod gehen* » — on ne peut pas cependant « *dem Anderen sein Sterben abnehmen*[1] ». Dans le mourir se révèle la structure ontologique qu'est la mienneté, la *Jemeinigkeit*.

(Sympathie et compassion, avoir mal pour l'autre ou « mourir mille morts » pour l'autre ont pour condition de possibilité une substitution plus radicale à autrui. Une responsabilité pour autrui dans le supporter son malheur ou sa fin *comme si on en était coupable.* Ultime proximité. *Survivre comme coupable.* Dans ce sens, le sacrifice pour autrui créerait avec la mort d'autrui un autre rapport : responsabilité qui serait peut-être le pourquoi l'on peut mourir. Dans la culpabilité de survivant, la mort de l'autre est mon affaire. *Ma* mort est ma *part* dans la mort d'autrui et dans ma mort je meurs cette mort qui est ma faute. La mort de l'autre n'est pas seulement un moment de la mienneté de ma fonction ontologique.)

1. Heidegger, *Être et Temps*, § 47, p. 178 : « *Nul ne peut prendre son mourir à autrui.* On peut certes "aller à la mort pour un autre", mais cela ne signifie jamais que ceci : se sacrifier pour l'autre "*dans une affaire déterminée*". En revanche, un tel mourir ne peut jamais signifier que sa mort serait alors le moins du monde ôtée à l'autre » (p. 240 du texte allemand).

En fait, c'est par rapport à mon propre *Dasein* que la mort peut être pensée comme concept qui ne trahit pas son sens existential. Heidegger délimite la notion de l'être-là à partir d'un groupe de notions dérivées (fin et totalité) pour montrer comment la fin peut être pensée dans l'ordre même du *Dasein* et non pas comme *Vorhandenes*, c'est-à-dire comment la fin peut être pensée dans son mode d'être-là, comment un tel finir peut constituer un tout, comment ce tout peut se rassembler.

1. Le *Dasein* comporte une distance par rapport à lui-même (un *Ausstand*, un « avoir dehors », au sens d'avoir de l'argent sorti).

2. Son être-à-bout, son venir-à-la-fin semble ne plus être là (perte de sa structure de *Dasein*).

3. Résultat de l'analyse : en-venir-à-la-fin est la possibilité la plus propre, la plus incessible, la plus inaliénable du *Dasein*.

L'originalité de Heidegger consiste à mettre en question l'idée d'être-au-devant-de-soi comme avoir-dehors (au sens où l'on a de l'argent dehors). Le rassemblement de l'étant qu'est le *Dasein* dans son cours ne se fait pas par adjonction de morceaux qui sont ou ont été ensemble. Le *Dasein* est de telle manière que son « pas-encore » lui appartient et cependant n'est pas encore. Pas à la manière de l'argent qui est « ailleurs », qui est « dehors » ou qui est « sorti ». Mais pas non plus à la manière du quart de lune qui « manque » à la lune (en fait il ne manque pas : il n'est pas appréhendé).

Faut-il alors le penser sur le modèle du devenir organique, de la maturité qui appartient au fruit ? Heidegger ne conteste pas la ressemblance : le fruit va mûrir, il n'est pas encore mûr puisqu'il est vert et cependant la maturité lui appartient. Ce qui constitue la non-totalité du *Dasein* est un pas-encore que le *Dasein* a à être, comme la maturité pour le fruit. Mais la mort n'est pas la maturité. L'accomplissement du fruit en devenir n'est pas la mort qui dépasse l'accomplissement. Le *Dasein* en mourant n'a pas épuisé toutes ses possibilités comme le fruit en mûrissant. Lorsqu'il meurt, ses possibilités lui sont *enlevées*. Finir, ce n'est pas s'accomplir. La fin de la mort n'attend pas nécessairement le nombre des années.

En quel sens alors prendre la mort comme fin du *Dasein* ? La fin de la mort ne peut s'entendre ni comme parachèvement, ni comme disparition, ni comme le cesser de la pluie qui cesse, ni comme le finir de l'œuvre faite, ni au sens d'une dette qui rentre. Pour le *Dasein*, la fin n'est pas le point final d'un être mais une façon d'assumer la fin dans son être même. Elle est une possibilité que le *Dasein* saisit *(übernimmt)* et non pas un rapt. « *Der Tod ist eine Weise zu sein, die das Dasein übernimmt, sobald es ist* » : « La mort est une guise d'être que le *Dasein* assume dès qu'il est[1]. » Ce n'est pas dans un avenir encore inaccompli selon un temps s'étendant dans une série de jours et de nuits, de minutes et de secondes, que la mort doit être pensée ; c'est au contraire à partir de l'à-être de l'existence qu'est à saisir l'à-mort qu'est le *Dasein*. « *Sobald ein Mensch zum Leben kommt, sogleich ist er alt genug zu sterben* » : « Dès qu'un homme vient au monde, il est assez vieux pour mourir[2]. » Avoir à être, c'est avoir à mourir. La mort n'est pas quelque part dans le temps, mais le temps est originairement *zu sein*, c'est-à-dire *zu sterben*.

Si la mort achève le *Dasein*, la *Eigentlichkeit* et la totalité vont ensemble. On voit ici, en se débarrassant de toute notion chosiste, la coïncidence du total et du propre. La mort est un mode d'être, et c'est à partir de ce mode d'être que surgit le pas-encore.

1. *Id., ibid.*, § 48, p. 182 (p. 245 du texte allemand).
2. Citation de *Der Ackermann aus Böhmen (Le Paysan de Bohême)* ; cité par Heidegger, *loc. cit.*

L'ÊTRE-POUR-LA-MORT
COMME ORIGINE DU TEMPS

Vendredi 9 janvier 1976

La mort comme fin, mais tout autant comme question, telle est la direction de notre recherche. Comme la manière dont le questionnement tranche sur la positivité de l'expérience, sur la phénoménalité de l'apparaître, sur la compréhension, sur la prise de donnée, non seulement dans mon esprit mais dans toutes les manifestations qui confirment le positif de toute positivité. La question est la façon dont s'invertit de manière radicale la croyance — la *doxa* — à laquelle se réfère l'univers, la façon dont cette *doxa* s'invertit en question. Question qui ne serait pas modalité du jugement, mais au-delà du jugement, qui n'est pas un autre jugement, mais question sans position de problème. Question où se fait la version vers l'autre (toute question est demande et prière). Version vers l'autre où se tient la pensée théorique ou doxique elle-même dans la mesure où elle s'interroge (le dialogue de l'âme avec elle-même n'est-il pas possible en raison de l'interrogation d'autrui, même si dans son fonctionnement la pensée théorique ne tient pas compte de cette dimension ?). Version vers l'autre non pas pour collaborer avec lui et version qui dans son questionnement ne se pose pas la question préalable de l'existence (la question n'est pas précédée par l'existence).

La mort que la fin signifie ne saurait mesurer toute la portée de la mort qu'en se faisant responsabilité pour autrui — par laquelle en réalité on se fait soi-même : on se fait soi-même par cette responsabilité incessible, non délégable. C'est de la mort de l'autre que je suis responsable au point de m'inclure dans la mort. Ce qui se montre peut-être dans une proposition plus acceptable : « Je suis responsable de l'autre en tant qu'il est mortel. » La mort de l'autre, c'est là la mort première.

C'est à partir de cette relation, de cette déférence à la mort de l'autre et de ce questionnement qui est une relation à l'infini, que le temps va devoir s'exposer. Au-delà de Heidegger qui cherche une expérience de la mort et pour qui la fin de la mort est affirmée comme néant, sans que rien ne pénètre d'au-delà du néant dans la manière dont le néant de la mort fait acte dans le *Dasein*.

Heidegger veut saisir l'être-là, c'est-à-dire l'homme, c'est-à-dire le fait que l'être est en question. Il veut le saisir dans sa totalité et non dans un seul de ses aspects (et surtout pas dans l'aspect où le *Dasein* est la perte de soi dans le quotidien). Il veut le saisir dans l'aspect où il est en possession de soi, où il est proprement, *eigentlich*. Et cette possession de soi se montrera être-pour-la-mort ou être-*à*-la-mort (au sens où l'on aime à la folie, ce qui signifie aimer d'une manière qui implique d'aller jusqu'à la dé-raison).

Mourir, pour le *Dasein*, ce n'est pas atteindre le point final de son être, mais être près de la fin à tout moment de son être. La mort n'est pas un moment, mais une manière d'être dont le *Dasein* se charge dès qu'il est, de sorte que la formule « avoir à être » signifie aussi « avoir à mourir ». Ce n'est pas dans un avenir

48

inaccompli que la mort doit être pensée, c'est au contraire à partir de cet à-être qui est aussi à-mort que le temps doit être originairement pensé. Tout comme le *Dasein*, tant qu'il est, est toujours un « pas encore », il est aussi toujours sa fin. Il est sa fin ou il est *à* sa fin : signification de la transitivité du verbe être (cette transitivité du verbe être est la plus grande découverte de Heidegger).

Le temps est le mode d'être de l'être mortel et donc l'analyse de l'être-pour-la-mort nous servira d'origine pour une nouvelle conception du temps. Temps comme avenir de l'être-pour-la-mort, avenir exclusivement défini par la relation unique d'être-à-la-mort comme être hors de soi qui est aussi être tout, être proprement soi.

Le finir qu'il faut entendre par la mort ne signifie pas que le *Dasein* est à bout, mais que cet étant est de façon à être-pour-la-fin, que ce qu'il y a d'événement dans cet étant, c'est aller à sa fin. L'énergie, ou le pouvoir même d'être, est déjà le pouvoir de sa fin. Il y a là une relation nouvelle et irréductible : irréductible à une distance à l'égard de ce qui reste dehors et distincte d'un mûrissement.

Que signifie être-pour-la-mort, distinct du mûrissement ? Originairement, l'avenir est l'imminence de la mort. Le rapport à la mort est pensé à partir de la structure formelle du souci qui est la modalité propre de l'être-là (de l'étant qui est en ayant à être son être). Cette manière d'être se formule par trois structures : être au-devant ; d'ores et déjà au monde (facticité) ; auprès des choses (dans lesquelles le monde est oublié). Comment ces trois structures peuvent-elles s'unir dans le *Sein zum Tode* ?

Être pour la fin, c'est un pas-encore, mais ce pas-encore est le pas-encore envers quoi l'être-là se réfère en l'*accueillant* comme imminence. Il ne se le représente pas, ne le considère pas, et cet accueil n'est pas non plus une attente. Cela ressemble un peu à la protention husserlienne, mais avec la dimension de la menace. Heidegger parle ici d'un pouvoir : je peux un pouvoir imminent. Or la mort est une possibilité que le *Dasein* doit prendre lui-même en charge et qui est incessible. J'ai ici un pouvoir qui est mon propre. (Pour Heidegger, le mot « pouvoir » s'applique aussi à la mort.) Avec la mort, le *Dasein* se pro-tend vers l'imminence de sa possibilité la plus propre. Dans l'être-pour-la-mort, la possibilité imminente concerne l'être-au-monde lui-même qui est menacé, mais menacé par cet être-au-monde et à-la-mort. Le pouvoir qui est la modalité selon laquelle l'imminence concerne le *Dasein* est la possibilité — ou l'éventualité — de ne plus être là. Être pour la mort, c'est pour le *Dasein* être au-devant de soi. Il y a là une possibilité que chaque *Dasein* peut pour son propre compte.

Cette possibilité extrême, indépassable, est imminence du non-être : la mort est la possibilité de l'impossibilité radicale d'être-là. Ainsi son imminence est-elle privilégiée, privilégiée dans la manière dont je peux cette imminence : c'est là pouvoir une possibilité marquée par son caractère incessible, exclusif, indépassable. La relation à la mort comme possibilité est un *à* exceptionnel, un *pour* exceptionnel, privilégié.

Or une telle relation n'est possible que par la structure du *Dasein* qui a à être son être, c'est-à-dire qui est à partir de cet au-devant-de-soi. L'être-au-devant-de-soi est concret dans l'être-pour-la-mort. De la même façon, la facticité et l'être-auprès-des-choses sont contenus dans l'être-pour-la-mort. Le *Dasein* dans son ipséité impliquée dans la mienneté n'est possible que comme mortel. Une personne immortelle est contradictoire dans les termes.

MORT, ANGOISSE ET PEUR

Vendredi 16 janvier 1976

Temps et mort, ces thèmes sont subordonnés à la recherche de la signification de l'être de l'étant, recherche qui elle-même ne vient pas d'une curiosité d'explorateur, recherche qui est essentielle à l'homme, caractéristique de son essence, de son *esse*. Être en tant qu'être, c'est déjà être-en-question. Cette essence en question équivaut à l'être-là comme humanité de l'homme qui est un étant dont l'être équivaut à l'essence en question. Cette mise en question est aussi une pré-compréhension de l'être et se fait en guise de prise en charge, prise en charge dans le *Dasein* et charge imposée de la manière la plus irrécusable, jusqu'à se faire mienne propre. Ce superlatif prend aussi le sens de mienneté, de sorte que l'être en tant qu'être-en-question est affaire d'ipséité. Cette prise en charge, c'est le mode de à-être de l'humain qui s'explicite comme être-là, comme être-le-là, lequel s'explicite comme être-au-monde, lequel s'explicite comme souci, lequel s'analyse dans une triple structure : être-au-devant-de-soi (ek-sistence) en tant que d'ores-et-déjà-au-monde (facticité) auprès-des-choses (dispersion ou déréliction dans les choses).

51

Dès lors, Heidegger cherche à retrouver la totalité ou l'intégrité de ces divers moments dégagés par l'analyse. Et c'est dans ce souci de penser ensemble les structures du *Dasein* que nous retrouvons des notions comme le temps et comme la mort. La totalité de l'être humain, n'est-ce pas sa vie de sa naissance à sa mort, n'est-ce donc pas le temps qu'elle emplit, et ce temps qu'elle emplit, n'est-ce pas la somme des instants écoulés ? La mort, qui marque la fin du temps, est-ce la totalité et l'être propre du *Dasein* ? Ou bien n'avons-nous pas utilisé là des concepts vulgaires (élaborés sur un mode inauthentique et non sur le mode propre du *Dasein*) ?

Nous avons montré que le mourir entendu comme terme d'une série d'unités temporelles ne s'applique pas aux structures strictement existentielles de l'être-là — et même les contredit. Dans le mourir ainsi compris, l'être-là est déjà interprété comme être d'une réalité exposé « à la devanture » et conforme au mode d'être d'un étant intra-mondain. D'où la tentative de repenser la mort, la fin du *Dasein*, en fonction de sa structure existentielle. La mort n'est pas alors la finition d'une durée faite de jours et de nuits, mais une *possibilité* toujours ouverte. Possibilité toujours ouverte qui est possibilité la plus propre, exclusive d'autrui, isolante, et possibilité extrême ou indépassable. « La plus propre » désigne son lien avec la mienneté qui de à-être mène à ipséité. Pensée jusqu'au bout, la mienneté est la mortalité : seul le Moi meurt, et seul le mortel est Moi.

Cette possibilité « la plus propre » n'est pas une chose qui arrive au *Dasein* « à l'occasion ». C'est une possibilité à laquelle le *Dasein* est *d'ores et déjà* astreint. Ce d'ores et déjà est attesté par une *Stimmung* : l'être-livré-à-la-mort appartient déjà à l'être-au-monde sans que le *Dasein* en ait une conscience expresse. Ce passé qui est déjà passé est attesté dans l'*angoisse*.

L'angoisse est émotion, et l'émotion chez Heidegger a toujours deux intentionnalités : un *de* et un *pour*. J'ai peur *du* chien et j'ai peur *pour* moi. Or, dans l'angoisse, les deux aspects coïncident. L'angoisse est angoisse *de* la mort *pour* un être qui est précisément être-pour-la-mort. Le pouvoir-être est en danger de mort, mais le pouvoir-être est précisément ce qui menace.

Cette émotion n'est pas la crainte de finir la vie, c'est l'ouverture du fait que le *Dasein*, en tant que jeté dans l'être, existe vers la fin. Le *Dasein* a à être, mais avoir-à-être est aussi avoir-à-mourir. La facticité est ainsi retrouvée. Mais nous retrouvons encore le moment de la déchéance : l'ignorance de la mort qui caractérise la vie quotidienne est une modalité de l'être-pour-la-mort, une fuite qui atteste une relation avec cette angoisse. Le *Dasein* meurt en fait, tant qu'il existe, mais sur le mode de la fuite, de la déchéance. On fuit la mort en se tenant auprès des choses et en s'interprétant à partir des choses de la vie quotidienne.

Heidegger montre ainsi la détermination originaire de l'être-là par l'être-pour-la-mort. Il pousse plus loin l'analyse en partant de l'être quotidien qui est fuite devant la mort et qui, par là, est aussi véritable reconnaissance de la mort. Cette fuite est plus proprement un être-pour-la-mort que la façon dont on se calme pour penser la mort.

Comment l'être-pour-la-mort se montre-t-il dans le quotidien ? Le soi-même n'a pas disparu dans la fuite, car alors l'être-là lui-même aurait disparu, mais il est dans la perte de soi (qui est encore une façon d'être soi, d'être une mienneté) : dans le *On (das Man)* — On qui n'est pas possible sans la référence à la mienneté, qui en est une modification.

La question est dès lors reprise avec plus d'ampleur : le On où le propre se fait impropre est-il encore être-pour-la-mort ? Heidegger répond que fuir, se dissimuler la mort, c'est un mode déficient impliquant la positivité d'un être-pour-la-mort. Le On est caractérisé par le fait qu'il *bavarde,* et son bavardage *(Gerede)* est une interprétation de cet être-pour-la-mort qui est un fuir-la-mort, une distraction. Il y a une affectivité spéciale qui caractérise cette fuite, l'angoisse réduite à la peur. L'angoisse devient peur. La mort devient *cas de mort.* On meurt, mais personne ne meurt. Les autres meurent, mais c'est un événement intra-mondain (pour Heidegger, la mort d'autrui est elle aussi un événement intra-mondain). La mort est quelque chose qui peut se produire mais qui pour le moment n'est pas encore venue. On meurt, mais pas moi, pas tout de suite. C'est le langage équivoque où le mourir dans sa mienneté devient un événement public neutre, un fait divers. Le On efface le caractère de toujours possible de la mort en lui donnant la réalité effective de l'objet. On se console comme si l'on pouvait échapper à la mort. La vie publique ne veut pas se laisser troubler par la mort qu'elle considère comme un manque de tact. « Le On interdit au courage de l'angoisse de la mort de se faire jour », écrit Heidegger[1] : « *Das Man lässt den Mut zu Angst vor dem Tode nicht aufkommen.* »

La *Stimmung* de l'affectivité du quotidien est la peur devant l'événement. Le On dans sa fuite devant la mort parle de la nécessité et de la certitude de la mort, mais cette certitude est purement empirique, alors que la certitude de la relation authentique à la mort est *a priori,* est une certitude au regard de laquelle la certitude empirique est une fuite. La mort est une possibilité absolument certaine ; elle est la possibilité qui rend possible toute possibilité.

---

1. *Id., ibid.,* § 51, p. 187 (p. 254 du texte allemand).

LE TEMPS PENSÉ À PARTIR DE LA MORT

Vendredi 23 janvier 1976

La mort est le renversement de l'apparaître. C'est, à l'inverse de l'apparaître, comme un retour de l'être en soi où ce qui faisait signe rentre en soi, ne peut plus répondre. C'est un mouvement opposé à la phénoménologie. Mais la mort elle-même est-elle à penser comme fin, fin de l'être au sens absolu de son anéantissement, fin de sa manifestation, ou comme question sans donnée positive, question sans que rien ne se réfère dans cette question à une *doxa* quelconque dont elle serait comme question la modification ?

La mort est phénomène de la fin tout en étant la fin du phénomène. Elle frappe notre pensée et la rend précisément questionnante, que ce soit dans son avenir (si l'on privilégie sa propre mort comme chez Heidegger), ou dans le présent. Elle concerne, comme phénomène de la fin, notre pensée, notre vie qui est pensée, c'est-à-dire manifestation se manifestant à elle-même, manifestation temporelle ou diachronique.

Le problème consiste à se demander ce que cette fin est pour la temporalité de la manifestation, ce que la mort est pour le temps. Qu'est la mortalité même de

55

la vie ? — tel est le véritable problème de notre recherche, la signification de la mort pour le temps.

Pour Heidegger, la mort signifie *ma* mort au sens de mon *anéantissement*. Chez lui, la recherche sur la relation entre la mort et le temps est motivée par l'effort de s'assurer que, dans l'analytique du *Dasein* où l'être est en question, l'être-là est saisi et décrit dans son authenticité ou son intégrité. La mort marquant de prime abord l'achèvement de l'être-là, c'est par elle que l'être-là ou l'homme qui en guise d'étant est l'événement de cet être-là, est la totalité de ce qu'il est, ou est proprement là.

Heidegger montre à partir de là que le mourir n'est pas ce qui marque quelque dernier instant du *Dasein*, mais ce qui caractérise la façon même dont l'homme est son être. D'où la notion d'être-pour-la-mort qui signifie être à l'égard de la possibilité de ne-plus-être-là, cet être-à-l'égard n'étant pas quelque contemplation de la fin s'ajoutant à l'être que je suis. Être-pour-la-mort, c'est se rapporter à la mort par cet être même que je suis.

Il y a là une relation existentielle à la possibilité de mourir. Relation irréductible ou privilégiée, et que Heidegger décrit en partant du caractère privilégié de cette possibilité de mourir comme possibilité à pouvoir, à saisir. Cette possibilité est :

— Possibilité la plus propre — possibilité dans laquelle le propre comme tel se produit ;

— Possibilité incessible — possibilité qui dès lors est moi ou ipséité ;

— Possibilité esseulante — car possibilité qui, comme la plus propre, coupe tous les liens avec les autres hommes ;

— Possibilité extrême qui surpasse toutes les autres et auprès de laquelle toutes les autres pâlissent —

possibilité par laquelle le *Dasein* se dégage de toutes les autres possibilités, qui deviennent insignifiantes.

Le pouvoir qui peut cette possibilité réunit les structures du *Dasein* explicité comme *souci*. L'être-au-devant-de-soi est précisément l'être-projeté-vers-cette-possibilité-de-ne-plus-être-au-monde. Mais, d'autre part, le souci, c'est la facticité, le fait d'être-d'ores-et-déjà-au-monde sans l'avoir choisi. Enfin cet être-à-mort est déjà déchéance, déjà être-auprès-des-choses dans le quotidien où, de la mort, il y a consolation, divertissement, où la mort est vue comme événement se produisant à l'intérieur du monde (mort de l'autre).

C'est à partir de ce mouvement d'esquive qu'une nouvelle démarche est accomplie par Heidegger pour éclairer un autre trait de l'être-à-la-fin : la certitude de la mort. Cette certitude est décrite à partir de la quotidienneté qui évite la certitude.

Parmi les modes d'être du quotidien il y a avant tout le bavardage. Ce bavardage résume l'attitude à l'égard de la mort : on meurt, une fois, mais pas encore maintenant. Il y a donc bien certitude de la mort, mais comme calmée dans sa gravité par cet ajournement. Telle est l'équivoque du bavardage dans lequel la certitude n'est pas la certitude authentique de la mort. Car la certitude est un mode de la vérité qui est elle-même une découverte, un dévoilement, où le dévoilé n'est authentiquement dévoilé que si le *Dasein* est ouvert sur lui-même. Or, dans la vie quotidienne, le *Dasein* n'est précisément pas ouvert sur lui-même. La certitude signifie d'abord un certain comportement du *Dasein*. Le *Dasein* quotidien recouvre sa possibilité la plus propre — il est donc dans la non-vérité. Sa certitude de la mort est inadéquate, elle est recouverte. La mort est un événement intra-mondain ; la certitude qui s'y rapporte est issue de l'expérience, elle coïncide avec le fait que les autres trépassent.

Est-ce que, dans le mode de la déchéance, le *Dasein*

échappe à la certitude de la mort ? Est-ce que son discours lui permet d'échapper à la certitude ? Il esquive la mort — et c'est ce fait d'esquiver qui est le vrai rapport à la mort. C'est dans la mesure où il est astreint à fuir la mort qu'il atteste la certitude de la mort. *C'est sa fuite devant la mort qui est attestation de la mort.*

C'est ainsi qu'on en arrive à une caractérisation complète de la mort. La mort est certaine, cela veut dire qu'elle est toujours possible, possible à chaque instant, mais par là que son « quand » est indéterminé. Tel sera le concept complet de la mort : possibilité la plus propre, possibilité indépassable, esseulante, certaine, indéterminée.

Reste à montrer ce qu'est la façon authentique d'être-pour-la-mort. Il faut montrer que le pouvoir de la possibilité de la mort n'est pas un pouvoir banal, un pouvoir comme les autres, en cela qu'il ne réalise rien. Que signifie la relation à une telle possibilité ? Il s'agit de maintenir cette possibilité *comme* possibilité, il faut la maintenir sans la transformer en réalité. La relation avec toute autre possibilité se caractérise par la réalisation de cette possibilité ; avec cette possibilité exceptionnelle, elle se caractérise par le *Vorlaufen,* par l'anticipation. L'anticipation de cette imminence consiste à maintenir cette possibilité. La possibilité de mourir ne se réalise pas (et ne réalise rien). La mort n'est pas l'instant de la mort, mais le fait de se rapporter au possible en tant que possible. Relation privilégiée au possible qui n'aboutit pas à sa réalisation, cette possibilité unique de se rapporter au possible en tant que possible, c'est l'être-pour-la-mort. « La mort comme possibilité ne donne au *Dasein* rien à "réaliser", et rien non plus qu'il pourrait *être* lui-même en tant qu'effectif[1]. »

1. *Id., ibid.,* § 53, p. 192 (p. 292 du texte allemand).

Si l'existence est un comportement à l'égard de la possibilité de l'existence, et si elle est totale dans son existence à l'égard de la possibilité, elle ne peut être que pour-la-mort. Si être, c'est à-être, être, c'est être-pour-la-mort. Être-au-devant-de-soi, c'est précisément cela, être-pour-la-mort (si l'être-pour-la-mort est supprimé, du même coup est supprimé le au-devant-de-soi, et le *Dasein* n'est plus une totalité). Voilà comment l'homme est pensé en sa totalité, comment le *Dasein* à tout instant est entier : dans son rapport à la mort.

Dans cette description, on voit comment le temps, tout au long de ces analyses, était déduit de sa longueur de temps — en deçà du temps mesurable et mesuré. On voit comment le temps mesurable n'est pas le temps originel, comment il y a priorité de la relation avec l'avenir comme relation avec une possibilité et non comme une réalité : la manière concrète dont une telle idée est pensée est donc l'analyse de la mort. C'est par la mort qu'il y a temps et qu'il y a *Dasein*.

EN DEÇÀ DE HEIDEGGER : BERGSON

Vendredi 30 janvier 1976

La mort comme anéantissement marque l'être-là. Elle impliquerait comme référent un temps semblable à une longueur qui se prolonge infiniment avant la naissance et après la mort. Ce temps compte et on le compte dans la vie quotidienne : c'est la quotidienneté même. Ce temps est la dimension où se déroule l'être. Il serait la production de l'essance de l'être. Pour Heidegger, la mort comme anéantissement marque l'être-là de telle façon que le temps quotidien serait une conséquence de l'être-là. L'ultimité du moment ultime de la mort dans le temps quotidien procède de la mortalité. Il y a donc un temps plus profond ou un temps originaire derrière le temps linéaire, qui ne s'entend qu'à partir de la mortalité, laquelle est comprise comme pouvoir d'un possible encouru *en tant que possible*, c'est-à-dire sans que l'assomption de ce possible lui fasse perdre son éventualité de possible.

Être-là, c'est la façon dont s'articule l'à-être *(Zu-sein)* et cet à-être est une structure qui exprime que l'être en général est en question et qu'il est pré-compris. Or, à-être, c'est être en étant à l'égard de mon être comme à l'égard d'un possible, ou comme ne-pas-être-encore.

Ce pas-encore n'est pas le pas-encore du temps linéaire. Ce pas-encore est comme être à l'égard d'un possible en tant que possible. C'est cela, être-à-la-mort. S'approcher de la mort, ce n'est donc pas s'approcher de la réalisation, mais laisser ressortir davantage ce possible en tant que le plus proprement possible. Mourir n'est pas une réalisation, mais le néant de toute réalité. Il y a là une relation unique en son genre où à-être est à-mourir.

C'est en encourant la possibilité la plus propre que dans le pouvoir mourir se projette le sens où tout projet se projettera : l'à-venir. Ainsi, sans recours aux notions quantitatives du temps, se dessinent l'avenir et une notion originaire du temps plus proprement temps que le temps quotidien.

Comme chez Bergson, s'affirme ici l'idée qu'il y a divers niveaux du temps. Tout l'Occident approche le temps par la mesure (le temps est nombre du mouvement, dit Aristote). Pour Bergson, le temps linéaire est spatialisation du temps en vue de l'action sur la matière, laquelle est l'œuvre de l'intelligence. Le temps originaire s'appelle durée, devenir où chaque instant est lourd de tout le passé et gros de tout l'avenir. La durée est vécue par une descente en soi. Chaque instant est là, rien n'est définitif puisque chaque instant refait le passé.

Chez Heidegger, le temps originaire, le temps de l'être-là qui s'accomplit dans l'humain décrit la finitude de l'être-là. Il s'accomplit dans l'angoisse et comme dispersé dans le quotidien. Chez Heidegger, le temps infini est déduit de la finitude originelle. Pour Bergson, la finitude et la mort indépassable ne sont pas inscrites dans la durée. La mort est inscrite dans la dégradation de l'énergie. La mort est la caractéristique de la matière, de l'intelligence et de l'action ; elle s'inscrit dans ce qui, pour Heidegger, est *Vorhandenheit*. Au contraire, la vie est durée, élan vital et il faut penser

61

ensemble durée, élan vital et liberté créatrice. « Tous les vivants se tiennent, et tous cèdent à la même formidable poussée. L'animal prend son point d'appui sur la plante, l'homme chevauche sur l'animalité, et l'humanité entière, dans l'espace et dans le temps, est une immense armée qui galope à côté de chacun de nous, en avant et en arrière de nous, dans une charge entraînante capable de culbuter toutes les résistances et de franchir bien des obstacles, *même peut-être la mort*[1]. »

Le néant est fausse idée, et la mort n'est pas identique au néant. L'humain est alors une façon de ne pas être-à-la-mort.

Mais l'élan vital n'est pas l'ultime signification du temps de la durée bergsonienne. Dans *Les Deux Sources de la morale et de la religion*, la durée, qui dans *L'Évolution créatrice* est pensée comme élan vital, devient vie inter-humaine. La durée devient le fait qu'un homme peut lancer un appel à l'intériorité de l'autre homme. Tel est le rôle du saint et du héros par-delà celui de la matière, héros et saint qui mènent à une religion ouverte où la mort n'a plus de sens.

Cette sympathie du temps n'est pas un drame de l'être en tant qu'être. Non pas parce qu'il s'agirait d'une philosophie du devenir, mais parce que l'à-être n'épuise pas le sens de la durée. Pour Heidegger, au contraire l'être est affaire, il est *Sache*. La façon dont l'être est à l'égard de son propre néant est le soi-même. Le « à » du à-être est compris à partir de son être. Le questionnement est une modalité de sa geste d'être.

1. Bergson, *L'Évolution créatrice* in *Œuvres*, Paris, Presses universitaires de France, 1970, pp. 724-725.

LA QUESTION RADICALE
KANT CONTRE HEIDEGGER

Vendredi 6 février 1976

Mort et temps, pour être pensés radicalement, doi-
vent-ils avoir en ontologie, c'est-à-dire dans une pensée
de l'être en tant qu'être, leur ultime référence ? Il en
fut ainsi chez Heidegger. Chez lui, la mort et le temps
sont pensés comme modalités de l'être en tant qu'être.
La mort est fin de l'être-au-monde et, en tant que cette
fin, elle s'interprète à partir de l'être-pour-la-mort de
l'homme, lequel est pré-compréhension de l'être essentiellement en question dans l'homme. La mort comme
fin de l'être-au-monde caractérise la mort comme
angoisse. Mort qu'il s'agit d'encourir dans l'angoisse,
comme courage et non comme pure passivité. Mort
où l'être à-mort se dessine comme à-être, comme étant
son être dans le pas-encore. Il n'y a pas d'autre épopée
que l'épopée de l'être. Être, c'est être-en-question, être-
en-question, c'est à-être, à-être, c'est être-là, être-là,
c'est être-au-monde comme être-à-mort, se projeter
dans le possible et, en se projetant vers le possible,
être-dans-sa-totalité-comme-être-là — et non comme
Vorhandenes.
D'où une caractérisation du temps, du temps originaire dont notre temps quotidien n'est qu'une déchéance

ou, pour employer un mot qui ne soit pas « valorisant », n'est qu'une dérive. Encourir dans l'angoisse en tant que possible, c'est l'à-venir originaire (qui est l'à-être même), avenir engagé dans un passé parce que l'angoisse est une affectivité comportant du d'ores et déjà, du déjà-là. Toute la structure du temps est tirée de la relation à la mort, laquelle est une modalité de l'être.

L'ipséité même de l'être-là se comprend à partir de son propre être qui égale son propre néant. L'ipséité se tire de sa propre finitude. C'est une modalité de l'être. (Non pas seulement : je suis dans l'être — mais : les modalités de l'homme sont les modalités de l'être.) Il y a réduction de tout l'humain à l'ontologie. Le privilège du *Dasein* réside en ce que celui-ci existe ontologiquement. Tout ce qu'est l'homme, toutes ses modalités sont des adverbes : non pas des propriétés, mais des manières d'être. L'humanité de l'homme revient à être (voir en ce sens la *Lettre sur l'humanisme* où être homme, c'est être au service de l'être, faire partie de son aventure, être berger, être gardien de l'être). L'humanité de l'homme se rapporte au souci de la mort en son sens plein. Le temps de l'homme est ce sens d'être-à-la-mort.

Ici, une question radicale veut se poser. Le sens est-il toujours événement d'être ? Être, est-ce signifiance du sens ? L'humanité, en tant simplement qu'ordre sensé, raison, en tant que sens ou rationalité ou intelligibilité, en tant qu'esprit, et la philosophie en tant qu'expression de l'homme — se réduisent-elles à l'ontologie ? Le point d'interrogation de toute question vient-il de la question : que signifie être ? (Cela, Heidegger l'affirme : il n'y a pas pour lui d'autre question, même si cette question devient immédiatement angoisse pour la mort.) Est-ce que tout ce qui se joue dans l'être, c'est l'être même ? (Par cette question, on conteste les premières pages de *Sein und Zeit*.) Est-ce que tout ce qui s'interroge en l'homme revient à la question : qu'est-ce qu'être ? *Ou bien* n'y a-t-il pas derrière cette question une question plus questionnante de sorte que la mort, malgré sa certitude, ne se réduirait pas à la question ou à l'alternance être/ne-pas-être ? La mort revient-elle uniquement à nouer le nœud de l'intrigue de l'être ? N'a-t-elle pas son sens éminent dans la mort des autres pour signifier dans un événement qui ne se réduit pas à son être ? Dans cet être que nous sommes, ne se produit-il pas des « choses » où notre être ne compte pas premièrement ? Et si l'humanité ne s'épuise pas en service de l'être, ma responsabilité pour autrui (dans son emphase : ma responsabilité pour la mort d'autrui, ma responsabilité en tant que survivant) ne s'élève-t-elle pas derrière la question : qu'est-ce qu'être ? — derrière l'angoisse pour ma mort ? Et alors, le temps n'appelle-t-il pas une interprétation différente de la projection vers l'avenir ?

Il faut à présent étudier quelques aspects de l'histoire de la philosophie où s'attestent des significations que l'ontologie n'épuise pas, mais qui peuvent au contraire mettre en question l'ontologie dans sa prétention à être l'aventure englobante de l'humanité. Heidegger nous a habitués à chercher dans l'histoire de la philosophie l'histoire même de l'être ; toute son œuvre consiste à ramener la métaphysique à l'histoire de l'être. Mais, quelle que soit la place de la geste d'être, l'histoire de la philosophie ne désigne-t-elle pas une autre inquiétude ? Est-ce que l'au-delà de l'être s'inscrit dans la geste d'être ? La transcendance de l'être par rapport à l'étant (transcendance dont Heidegger a su réveiller le sens) permet-elle de le penser à fond ? L'inquiétude de Dieu n'a-t-elle, en philosophie, d'autres significations que l'oubli de l'être et l'errance de l'onto-théologie ? Le Dieu de l'onto-théologie, peut-être mort, est-il le seul Dieu — n'y a-t-il pas d'autres significations

du mot Dieu ? (C'est ce que penseraient les « croyants »
— ceux du moins que l'on présente et qui se présentent
sous ce vocable ! — pensant la foi *plus pensante* que
l'onto-théologie, *plus éveillée, plus dégrisée.*)

Réduire tout l'effort philosophique à l'erreur ou à
l'errance de l'onto-théologie est une lecture seulement
possible de l'histoire de la philosophie[1].

Ainsi la philosophie kantienne a-t-elle été réduite par
Heidegger, qui a surtout insisté sur la *Critique de la
Raison pure*, à la première exposition radicale de la
finitude de l'être. Mais, des quatre questions qui, selon
Kant, se posent en philosophie (Que puis-je savoir ?
Que dois-je faire ? Qu'ai-je le droit d'espérer ? Qu'est-
ce que l'homme ?), la dernière semble dépasser la
première de toute l'ampleur des deux suivantes. La
question *que puis-je connaître ?* conduit à la finitude,
mais *que dois-je faire ?* et *que suis-je en droit d'espérer ?*
vont plus loin, et en tout cas ailleurs que vers la
finitude. Ces questions ne se réduisent pas à la compréhension de l'être, mais concernent le devoir et le salut
de l'homme.

Dans la deuxième question, si on la comprend
formellement, il n'y a pas de référence à l'être. Que le
sens puisse signifier sans référence à l'être, sans recours
à l'être, sans compréhension d'être donné, c'est par
ailleurs le grand apport de la Dialectique transcendantale de la *Critique de la Raison pure*.

Parmi les conditions de la constitution du phénomène (= être donné) figure, à côté de l'espace et du
temps, l'activité synthétique de l'entendement selon
les catégories. Les catégories sont constitutives du
donné : ce que nous pouvons connaître, c'est l'être

---

1. Voir *Autrement qu'être*, p. X : « Mais *entendre un Dieu non contaminé
par l'être*, est une possibilité humaine non moins importante et non moins
précaire que de *tirer l'être de l'oubli* où il serait tombé dans la métaphysique et dans l'onto-théologie. »

donné dont sont constitutives les catégories. Mais, pour qu'il y ait du donné, il faut aussi faire appel au *tout* de la réalité, à ce tout qui est idéal transcendantal jamais donné, qui ne reçoit jamais le prédicat d'être, et par rapport auquel les objets donnés de l'expérience sont pensés comme entièrement déterminés.

Cet idéal transcendantal est une notion sensée, nécessaire, mais qu'on aurait cependant tort de penser comme être. Le penser comme être, c'est faire la preuve de l'existence de Dieu, laquelle est dialectique, c'est-à-dire aberrante. L'idéal transcendantal est pensé *in concreto* mais Kant lui refuse l'être, guidé qu'il est par le prototype de l'être qu'est le phénomène. En ce sens, la Raison a des idées qui vont au-delà de l'être.

Cette position, qui confirme le caractère limité de l'être donné de tout sens valable, est contredite par la Raison pratique. Kant remet la finitude en question en passant au plan pratique. Il y a un mode de signification pratique qui reste, à côté de l'accès théorique à l'être, accès à un sens irrécusable, accès à une signification où l'après-mort ne peut pas être pensé comme une extension du temps d'avant la mort après la mort, mais où l'après-mort a ses motivations propres. Il y a indépendance totale du pratique à l'égard de l'accès cognitif à l'être. Alors la mort incluse dans la finitude de l'être devient un *problème*. Le temps se révèle être un concept relatif.

Il y a le problème de la conciliation de la moralité et du bonheur, comme si ce problème avait son sens propre quelles que soient les vérités ontologiques de la *Critique de la Raison pure*. Kant montre ainsi l'existence dans la pensée de significations qui ont leur sens sans se réduire à l'épopée de l'être.

Je suis libre dans le respect de la loi morale, bien que, théoriquement, j'appartienne au monde de la nécessité. Dieu et l'immortalité de l'âme sont exigés par la Raison pour que soit pensable l'accord entre la vertu et le bonheur. Cet accord exige, indépendamment de l'aventure ontologique et *contre* tout ce que l'ontologie nous enseigne, un *après*. Il y a là une motivation propre au sein de l'être qui se déroule. Kant ne pense certainement pas qu'il faut penser une extension du temps au-delà du temps limité, il ne veut pas un « prolongement de la vie ». Mais il y a un *espoir*, un monde accessible à un espoir, il y a une motivation propre d'un espoir signifiant. Dans l'existence déterminée par la mort, dans cette épopée de l'être, il y a des choses qui n'entrent pas dans cette épopée, des significations qui ne se réduisent pas à l'être. Cet espoir ne peut pas avoir de réponse théorique, mais il est une motivation propre. Cet espoir se passe dans le temps et, dans le temps, va au-delà du temps.

Dans la philosophie pratique de Kant, il y a ainsi une réponse aux deuxième et troisième questions qui ne se réduit pas aux termes dans lesquels se jouent l'être et le donné, dans lesquels apparaît le donné, qui ne se réduit pas aux termes de la première question. (Ce qui ne signifie pas que Kant parvienne à démontrer l'existence de Dieu et l'immortalité de l'âme.)

La philosophie pratique de Kant montre que la réduction heideggérienne n'est pas obligatoire. Que, dans l'histoire de la philosophie, il peut y avoir une signification autre que la finitude[1].

1. En contrepoint de ce chapitre et du suivant, on relira ces lignes d'*Autrement qu'être* (p. 166) : « Si on avait le droit de retenir d'un système philosophique un trait en négligeant tout le détail de son architecture (bien qu'il n'y ait pas de détail en architecture selon le mot profond de Valéry qui vaut éminemment pour la construction philosophique où le détail seul empêche les porte-à-faux) nous penserions ici au Kantisme qui trouve un sens à l'humain sans le mesurer par l'ontologie et en dehors de la question « qu'en est-il de » ? qu'on voudrait préalable, en dehors de l'immortalité et de la mort auxquelles achoppent les ontologies. Le fait que l'immortalité et la théologie ne sauraient déterminer l'impératif catégorique, signifie la nouveauté de la révolution copernicienne : le sens qui ne se mesure pas par l'être ou le ne pas être, l'être se déterminant, au contraire, à partir du sens. »

LECTURE DE KANT *(suite)*

Vendredi 13 février 1976

La pensée heideggérienne paraît ressortir dans tout son éclat dans l'analyse de l'être-pour-la-mort et la description de la temporalité originaire. Mort et temps ont pour ultime référence la question du sens de l'être, de l'être en tant qu'être — ou de l'ontologie. La temporalité est ek-stase vers l'avenir, celle-ci est l'ek-stase première. Cette ek-stase vers l'avenir, c'est encourir la mort en l'anticipant ; cette propension vers la mort, c'est encourir une possibilité comme possibilité ; cette propension vers la possibilité, c'est être-au-devant-de-soi = être-là = à-être = pré-comprendre ou s'interroger sur le sens de l'être = être en question = être. Tel est le chemin de *Sein und Zeit*.

Donc, à l'être en tant qu'être se réduit toute l'aventure humaine, tout ce qui peut avoir un sens, tout projet, toute compréhension, et la mort est l'ultime, certaine, la plus propre, l'indépassable possibilité, ou encore le temps remonte (spéculativement) à l'épopée de l'être en tant qu'être qui est être-à-mort. A cette aventure remonte la dimension du temps et même la dimension de l'intemporalité ou de l'idéal (déjà chez Husserl l'idéalité éternelle est une omni-temporalité).

Il n'y a pas d'éternité ; l'éternité est, comme le temps linéaire, une modalité de ce temps fini, elle dérive du temps originaire. A cette geste d'être remonte la personne dans son unicité, dans son ipséité qui est l'authenticité (le propre) même.

Poser le problème radical, c'est se demander si l'humanité de l'homme, si le sens, se réduit à l'intrigue de l'être en tant qu'être. Le sens est-il cet événement de l'être ? Est-ce que toute intrigue qui se noue dans l'être ne fait que dérouler la geste d'être, ne fait qu'écrire l'épopée de l'être (voir l'explication de Trakl[1] : comprendre le poème, c'est remonter à la pensée de l'être) ? C'est une question radicale, c'est la question radicale, car elle concerne les affirmations premières de *Sein und Zeit*.

Cette réduction à l'être de toute question transparaît dans la lutte et l'ironie heideggériennes à l'égard de toute philosophie des valeurs. Il ne s'agit pas ici de découvrir ou de restaurer des valeurs mais, par-delà la tension vers les valeurs, quelque chose peut se montrer à la pensée. C'est pour cela qu'on a lu Kant la semaine passée. Il ne s'agissait pas de trouver chez lui une preuve de l'existence de Dieu susceptible de calmer notre angoisse devant la mort mais de montrer, au sein de l'être *fini* de la subjectivité et du phénomène (la *Critique de la Raison pure* est une philosophie de la finitude), qu'il y a un espoir rationnel, un espoir *a priori*. Ce n'est pas à un vouloir survivre que Kant donne satisfaction, mais à une tout autre conjonction de sens. Espoir *a priori*, c'est-à-dire inhérent à la raison finie, et donc, tout autant que la mortalité, espoir sensé, rationnel, sans que ce sens puisse réfuter la mortalité qui se montre dans l'être en tant qu'être

1. Voir *La Parole dans l'élément du poème* in *Acheminement vers la parole*, trad. Jean Beaufret, Wolfgang Brockmeier et François Fédier, Paris, Gallimard, 1976, pp. 39-83.

(= être fini), mais aussi sans que l'espoir d'immortalité se range simplement parmi les dérivés de l'être-pour-la-mort et donc de la temporalité originaire de l'être-là. Il y a là une tout autre motivation, une motivation rationnelle.

Cette direction de sens ne réfute pas l'être-pour-la-mort qui est, selon Heidegger, le présupposé de la finitude. C'est là la grande force de la philosophie pratique de Kant : la possibilité de penser un au-delà du temps par l'espoir mais, bien évidemment, pas un au-delà qui prolongerait le temps, pas un au-delà qui *est* (qui serait). Ni un dérivé quotidien du temps originaire. Mais espoir rationnel, comme si, dans le temps fini, s'ouvrait une autre dimension d'originarité qui n'est pas un démenti infligé au temps fini, mais qui a un autre sens que le temps fini *ou* infini. Le sens de cet espoir dans le désespoir ne défait pas le néant de la mort ; il est une prestation à la mort d'une signification autre que celle qu'elle tire du néant de l'être. Ce n'est pas à un besoin de survivre que répond cet espoir.

Comme si une autre relation avec l'infini signifiait cet espoir où la mort et son néant sont l'ultime intensité et sont nécessaires à cette relation. Comme si, dans l'humain, et derrière le *Sein zum Tode*, était nouée une intrigue d'espoir d'immortalité qui ne se mesure pas par la longueur du temps, par la perpétuité et qui, par conséquent, a dans ce toujours une temporalité *autre* que celle d'être-à-la-mort. Cette intrigue est appelée « espoir » sans l'être dans la signification courante du terme qui signifie attente dans le temps. C'est un espoir réfractaire à toute connaissance, à toute gnose. Une relation par rapport à laquelle temps et mort ont un autre sens.

A côté de l'accès théorique à l'être du phénomène qui ne se fait que dans le temps et l'espace de l'être

71

fini et qui ne nous fait accéder qu'au phénomène lié par les catégories, mais pas au noumène, Kant examine l'existence humaine ou la subjectivité raisonnable dans les implications de l'action morale qui se laissent expliciter sans devenir objet d'aucune connaissance d'être.

L'action morale est caractérisée par sa maxime universelle, détermination de la volonté qui, agissant en conformité avec la loi, agit librement. Cette liberté remonte à la Raison, à l'universalité de la maxime. L'action morale dans sa liberté signifie l'indépendance vis-à-vis de toute divinité, de tout au-delà (Kant décrit le divin *à partir de l'action libre*) : nous sommes *intérieurement* liés par l'obligation morale du devoir, dit Kant. Dieu n'est pas nécessaire à l'acte moral — c'est au contraire à partir de l'acte moral qu'on peut le décrire. Il devient nécessaire si, par-delà l'acte moral, nous désirons le *bonheur*.

L'espoir viendra du caractère rationnel d'une vertu s'accordant avec le bonheur. Le bonheur n'est acceptable que s'il s'accorde avec ce qui rend digne d'être heureux et, de son côté, la moralité seule n'est pas non plus le Souverain bien. Donc ni le bonheur seul, ni la vertu seule — les deux blessent la Raison. Pour que le Bien soit parfait, il faut que celui qui ne s'est pas conduit de façon à être indigne d'être heureux puisse espérer participer au bonheur. Dans l'« autre vie », après la mort (dans un autrement que vivre, un autrement qu'être), espoir de l'accord entre vertu et bonheur qui n'est possible que par un Dieu. Il faut se comporter comme si l'âme était immortelle et comme si Dieu existait. C'est un espoir contre tout savoir, et cependant un espoir rationnel. Admettre l'existence de Dieu et l'immortalité de l'âme est exigé par la Raison, mais le Bien suprême ne peut être qu'*espéré*.

Le point important ici, c'est que l'espoir ne se réfère pas à titre d'attente à quelque chose qui doit arriver.

how is this different from Pascal + his pari ?

L'attente est accès à ce qui peut être contenu dans un savoir. Ici, l'espoir est autre chose qu'une prescience, autre chose que le désir de se survivre (pour Kant, la mort est la limite de ce qui peut être connu). Mais cet espoir n'est pas non plus une nostalgie subjective. Il désigne un domaine qui est plus qu'un comportement humain et moins que l'être. Mais l'on peut se poser cette question : l'espoir — plus qu'un comportement humain quelconque et moins que l'être — n'est-ce pas *plus* que l'être ?

Le temps ne se prolonge pas après la mort tel qu'il allait à la mort. La connaissance est toujours à la mesure de ce qu'elle connaît. La relation avec quelque chose de *démesuré* est espoir. L'espoir doit alors être analysé comme cette temporalité même. Espoir comme relation avec un plus qu'être qui ne pourra jamais être affirmé comme existant ou être signifié comme ce qui est corrélatif d'un savoir. A partir de là se penserait une subjectivité qui peut être en relation avec ce qui ne peut se réaliser — non pas avec l'irréalisable romantique cependant : avec un ordre au-dessus ou au-delà de l'être.

On retient ici du kantisme un sens qui n'est pas dicté par une relation avec l'être. Ce n'est pas par hasard que cette référence vient d'une morale — qui certes se dit rationnelle en raison de l'universalité de la maxime —, ce n'est pas par hasard que cette façon de penser un sens au-delà de l'être est le corollaire d'une éthique.

COMMENT PENSER LE NÉANT ?

Les postulats kantiens ne postulent pas un temps après le temps. L'espoir rationnel n'est pas de ceux qui dans le temps attendent des événements qui viendraient combler le vide de l'espérance. Chez Husserl, l'intuition comble une visée signitive comme si, un jour, l'espéré devait se faire connaître. Pour Kant, cela est impossible : le temps est forme de la sensibilité et appartient à la constitution par l'entendement de l'objectivité phénoménale. Si l'espoir rationnel devait s'accomplir, s'il devait se faire connaître à un certain moment, cela voudrait dire que l'immortalité aurait un accomplissement temporel, connu sur le mode du phénomène — mais un tel contact avec l'absolu est exclu par la *Critique de la Raison pure*. L'espoir rationnel est espoir qui ne se compare pas avec l'espoir dans le temps.

Les postulats de l'immortalité de l'âme et de l'existence de Dieu définissent un espoir que Kant ne déduit pas d'une inclination subjective de l'être sentant et pensant ; ils ne résultent pas d'un désir « pathologique » (au sens kantien). Kant ne déduit pas l'espoir du *conatus essendi*, il ne le déduit pas de l'aventure ontologique — comme si dans l'esprit, dans la Raison, il y avait autre chose que le fait, pour l'être, d'être. Espoir rationnel de la conciliation entre vertu et bonheur ; espoir qui transcende, mais autrement que dans la dimension du temps — comme si la rationalité de l'humain ne s'épuisait pas à tenir à son être (comme pour le *Dasein* heideggerien pour qui, dans son être, il y va de son être) ni même à servir l'être (être le « gardien » de l'être). Ici, la persévérance dans l'être se trouve au service d'une rationalité, d'une raison exigeant une conciliation entre vertu et bonheur. Ni bonheur ni vertu ni devoir ne signifient attachement de l'être à son être, ni ne se définissent par cet attachement de l'être à son être. Espoir rationnel qui est comme une extra-ordinaire projection de sens dans un domaine (qui n'est pas une extase temporelle hors du temps et de l'être donné) de *pur néant*.

(N.B. A moins que l'extase temporelle que l'on prend pour une extension ou une aventure de l'être, comme l'anticipation de la possibilité encourue de l'impossibilité comprise même dans la temporalité quotidienne — temps comme horizon d'être ou dimension où nous sommes —, à moins que le temps soit relation non pas avec ce qui arrive mais *avec ce qui ne peut arriver*, non pas parce que l'attente serait vaine mais *parce que l'attendu est trop grand pour l'attente* et que la longueur du temps est relation qui tient plus qu'elle ne tient. L'espoir devenu attente et longueur temporelle est déjà relation (au sens non négatif) et accueil d'un surplus. Fink, qui montre l'importance de cet espoir rationnel, dit que c'est plus qu'un comportement quelconque, mais *moins* qu'être[1]. Ainsi, pour Fink, l'être reste

1. Voir E. Fink, *Metaphysik und Tod*, Stuttgart, W. Kohlhammer, 1969, p. 72.

l'ultime notion et l'on ne peut parler d'un *au-delà de l'être*, car c'est là mythologie.)

L'espoir rationnel se projette non temporellement dans le domaine du pur néant qu'il est impossible de méconnaître dans le vécu de l'être-pour-la-mort (dans l'affectivité, dans l'angoisse, il est impossible d'effacer le caractère négatif de la mort), mais qu'il est aussi impossible de connaître, d'égaler, de contenir ; domaine où, à aucun titre, la relation n'est adéquation. Néant impossible à penser. Quand on le pense, il est aussitôt nécessaire de le dédire, de le signifier comme noème pensable « entre guillemets ».

On ne peut méconnaître le néant de la mort, mais on ne peut non plus le connaître. Même si cette non-méconnaissance ne mesure pas encore ce que la mort dans son néant met en question d'*autre que notre être*. Ne mesure pas encore la négativité de la mort plus négative que le néant, vertige et risque vécus dans le « moins que rien ». Négativité ni pensée ni non plus sentie ; pur néant qu'il est impossible de méconnaître, et dont l'*inaccessibilité* a presque caractérisé la pensée occidentale d'Aristote à Bergson.

Ainsi Bergson procède-t-il, dans *L'Évolution créatrice*, à une critique de l'idée de néant. « L'idée du néant absolu, entendu au sens d'une abolition de tout, est une idée destructive d'elle-même, une pseudo-idée, un simple mot. Si supprimer une chose consiste à la remplacer par une autre, si penser l'absence d'une chose n'est possible que par la représentation de quelque autre chose, enfin si abolition signifie d'abord substitution, l'idée d'une "abolition de tout" est aussi absurde que celle d'un cercle carré[1]. » Quant à la mort, c'est pour Bergson la dégradation de l'énergie, l'entro-

---

1. Bergson, *op. cit.*, in *Œuvres*, p. 734.

pie (voir la physique du XIXᵉ siècle), la matière arrivée à un état d'équilibre parfait, sans différence de potentiels. Il y a impossibilité à penser le néant.

Pour Heidegger en revanche, il y a un accès au néant qui est un accès non intellectuel : c'est l'accès à la mort dans l'angoisse. La réfutation de l'idée de néant est réfutée par Heidegger : *le néant est accessible dans l'angoisse qui en est l'expérience*.

La phénoménologie semble rendre possible la pensée du néant grâce à l'idée d'intentionnalité comme accès à autre chose que soi-même, et accès qui peut se faire de manière non théorétique (ainsi dans les sentiments, les actes, etc., qui sont irréductibles à la sereine représentation). Ainsi, chez Scheler, l'émotion est accès à la valeur. Ainsi, chez Heidegger, l'activité manuelle est une révélation de l'outil en tant qu'outil (chez Heidegger, toute la technique a une fonction révélatrice, elle est façon de découvrir, de révéler), de même que, chez lui, les sentiments sont des modes d'implication dans l'être (être dans le monde, c'est y être *affecté*) : c'est le sentiment qui mesure mon être-au-monde. De la même manière, l'angoisse qui n'a pas d'objet, a pour objet le non-objet : le néant. La description de la mort par Heidegger révèle donc une possibilité, la possibilité de la non-possibilité. Le néant est *pensable* dans la mort. Ce qui fascine Heidegger dans la mort, c'est la possibilité qu'il y trouve de penser le néant.

Mais les idées de pensée et d'expérience s'appliquent-elles à ces manières d'accéder au néant ? Nous parlons de pensée lorsqu'il y a position du sujet, alors que le vertige de la question échappe à la pensée de la mort et fait échapper la mort à la pensée. Penser, est-ce simplement vivre, même si la vie est vie intentionnelle ? L'intentionnalité de la vie ne garde-t-elle pas au fond d'elle-même une *représentation* (une *doxa* thétique), comme chez Husserl ? La place faite dans la phénoménologie husserlienne à l'intentionnalité non représentative promettait une signifiance ne procédant pas du savoir, mais la promesse n'a pas été tenue. L'intention affective, pratique, le plaisir ou le désir, se montrent prises de position en tant qu'intentions, et toute position recèle une thèse doxique exprimable en proposition prédicative : « *Tout acte, ou tout corrélat d'acte, enveloppe en soi un facteur "logique", implicite ou explicite*[1]. » Tout acte est ontologique et toute pensée en tant que pensée est corrélative du sens. Mais le néant a-t-il jamais pu être pensé dans la pensée où il aurait dû être *égalé* ?

Cette impossibilité de penser le néant remonte à Aristote. Il y a impossibilité chez lui à penser l'anéantissement dans l'acuité où il s'annonce dans l'angoisse. Chez Aristote, où le devenir est mouvement, il y a une impossibilité de penser le changement de la mort. La *métabolè* est le retournement de l'être en néant et Aristote semble, en ce sens, admettre la possibilité de penser séparément le néant et l'être. Mais, dans ses analyses, la corruption, le passage au néant sont toujours pensés en liaison avec la génération. Génération et corruption, qui se distinguent certes de l'altération, sont structurées de la même manière. Comme si Aristote se refusait à penser le néant pour lui-même.

Ainsi le néant apparaît-il chez Aristote comme un moment de l'essence, comme négativité propre à l'être d'essence finie. Sera négatif pour Aristote le ne-*pas*-être-*encore* ou le ne-*plus*-être. Le néant temporel est pensable dans la mesure où le *présent* est la mesure de l'être. Le néant est le vieux, l'usé, le corrompu par le temps, mais il est alors comme embrassé et encombré et porté par l'être (comme le pense Bergson).

1. Husserl, *Idées directrices pour une phénoménologie*, trad. Paul Ricœur, Paris, Gallimard, 1950, § 117, p. 400, souligné dans le texte (p. 244 du texte allemand).

Dans la mort, néant pur, sans fondement, ressentie plus dramatiquement, avec l'acuité de ce néant plus grande dans la mort que dans l'idée de néant de l'être (dans l'*il y a* qui blesse moins que la disparition), nous arrivons à quelque chose que la philosophie européenne n'a pas pensé.

Nous comprenons la corruption, la transformation, la dissolution. Nous comprenons que les formes passent tandis que quelque chose subsiste. La mort tranche sur tout cela, inconcevable, réfractaire à la pensée, et cependant irrécusable et indéniable. Ni phénomène, à peine thématisable, ni pensable — l'irrationnel commence là. Même dans l'angoisse, même par l'angoisse, la mort reste impensée. Avoir vécu l'angoisse ne permet pas de la *penser*.

Le néant a défié la pensée occidentale.

answer to

Heidegger,

cf. 77

métabolè : gr. changement

LA RÉPONSE DE HEGEL :
LA *SCIENCE DE LA LOGIQUE*

Vendredi 27 février 1976

Le néant de la mort est indéniable, mais la relation à la mort comme néant est en tout cas une négativité radicalement autre que la négativité pensée par la philosophie grecque et en particulier par Aristote. En pensant le changement jusqu'à la *métabolè*, on peut penser qu'on isole le néant de l'être. Chez Aristote, en réalité, même la *métabolè* conserve le style de l'altération où de l'être subsiste dans le néant de telle manière que le néant n'est pas pensé comme néant pur.

Ce qui est connaissable et naturel à la pensée, c'est le néant comme *dissolution*, l'anéantissement comme *décomposition* où quelque chose subsiste même si les formes passent. Le disparaître *relatif* se montre sans difficultés. Ainsi, dans les deux modèles aristotéliciens (enfantement et fabrication) du passage du néant à l'être, la *phusis* et le matériau sont présupposés. L'enfantement est un devenir et non un saut du néant à l'être (le germe était là).

Or, un néant tel que celui de la mort, rigoureusement pensé, *n'est gros de rien*. Il est néant absolument indéterminé qui ne fait allusion à aucun être, et non

80

phusis . gr. nature.

pas chaos aspirant à la forme : la mort est mort de quelqu'un et l'avoir-été de quelqu'un n'est pas porté par le mourant mais par le survivant.

Chez Aristote, dans le néant est maintenu de l'être, de l'être en puissance. Il s'agit toujours de la manière dont un étant devient un autre étant. Or l'origine et le dépérissement ontiques que subit un étant sont bien différents de l'origine et de l'anéantissement de l'*essance*. Tout se passe dans la mort comme si l'homme n'était pas un simple étant qui périt, mais nous offrait l'événement même de finir, de périr — même si c'est dans son ambiguïté d'inconnu.

Dans la mort d'autrui, dans son visage qui est exposition à la mort, s'annonce non pas le passage d'une quiddité à une autre — dans la mort il y a *l'événement même de passer* (la langue dit d'ailleurs : « il passe ») avec son acuité propre qui est son scandale (chaque mort est première mort). Il faut penser tout ce qu'il y a de meurtre dans la mort : toute mort est meurtre, est prématurée, et il y a responsabilité de survivant.

Aristote ne pense pas le néant de cette façon. Pour lui, cela ne « démolit » pas le monde ; le monde reste.

Qu'en est-il chez Hegel ? Pour le savoir, il faut lire le début de la *Grande Logique* (Livre I, chapitre « Avec quoi doit être fait le commencement d'une science ? »).

On dirait de prime abord qu'il y a impossibilité de penser le néant de la mort dans toute sa pureté. Hegel, après avoir passé en revue les différentes entités *(Seiende)* que la philosophie plaçait au commencement (l'eau, le *noûs*, etc.), dit que le commencement ne peut pas d'abord être pensé comme déterminé. Il faut le prendre dans l'indétermination et dans son immédiateté. Le commencement de la philosophie devient ainsi philosophie du commencement. La pensée va alors déterminer et se rendre compte de ce que la détermination implique : déterminer les divers prédicats que l'on pourra ajouter à cet indéterminé.

On doit alors commencer par l'être pur, vide et indéterminé. Ce qu'il faut au commencement, c'est un néant qui doit devenir quelque chose. « Rien n'est encore, et il faut que quelque chose soit. Le commencement n'est pas le pur néant, mais un néant dont quelque chose doit sortir ; l'être est en même temps déjà contenu en lui », écrit Hegel[1]. Ainsi, le modèle du commencement, quelque vide et pur qu'il se donne, est encore le commencement à l'intérieur du monde : c'est quelque chose qui commence, un quelque chose, et non pas le commencement de l'être en général. Dans le commencement, il y a déjà l'être. Ce commencement est unité d'être et de néant, ou un non-être qui à la fois est être et non-être.

Nous sommes ainsi d'emblée dans une situation semblable à celle que pensait Aristote : il y a un néant, mais un néant qui attend l'être, qui veut l'être, qui va passer à l'être. On peut donc se demander si, de cette manière, on ne suppose pas des étants déjà là. Si le commencement n'est pas ainsi le commencement de quelque chose, le commencement de *ce qui* commence. Commencement qui n'a pas la détermination de l'eau comme chez Thalès, mais qui a la structure du quelque chose.

Le commencement n'est pas encore, mais il va être ; il contient donc l'être qui s'éloigne du non-être ou le relève *(aufhebt)* comme son opposé[2]. Néant et être sont donc ici distingués comme ce dont le commencement part et comme ce qu'il vise. Le commencement

1. Hegel, *Science de la logique* (éd. de 1812) trad. Pierre-Jean Labarrière et Gwendoline Jarczyk, Paris, Aubier-Montaigne, 1972, p. 45 (p. 12 du texte allemand).
2. C'est Derrida qui, on le sait, a proposé de traduire l'intraduisible *Aufhebung* hégélienne par « relève » ; voir « Le puits et la pyramide » in *Marges*, Paris, Minuit, 1972.

comporte les deux états distingués, il est leur unité non différenciée.

Mais n'a-t-on pas ici confondu un devenir qui est croissance avec un devenir absolu au sens d'une émergence absolue ? Dans ces descriptions, n'y a-t-il pas confusion du devenir relatif et du devenir absolu ? Hegel serait-il dupe ? — comme si Hegel pouvait être dupe de quelque chose !

La pensée de Hegel est en fait beaucoup plus radicale. Le commencement absolu est une notion du sens commun ; lorsque l'on pense, on voit qu'être et néant ne sont pas séparables, qu'ils sont identiques, et que leur unité est le devenir.

Pour Aristote, le présupposé est que tout sens intelligible doit remonter au moteur immobile. C'est dans ce repos de l'être que tout devenir culmine ; il n'y a donc pas de sens à parler de néant absolu. Chez Aristote, du mouvement des choses, il faut ainsi remonter au moteur immobile, alors que, de son côté, Hegel introduit le mouvement *dans l'être* et livre entièrement l'être au mouvement. « Il n'est pas une proposition d'Héraclite que je n'aie reprise dans ma *Logique* », pourra-t-il dire en ce sens[1].

La différence entre émergence absolue et émergence relative, c'est en fait la grossière compréhension de l'être par l'opinion. Non seulement Hegel la rejette consciemment, mais il la retourne : ce qui nous semble devenir relatif est précisément l'émergence, l'origine, c'est-à-dire que *le devenir est l'absolu*, et que, par conséquent, on ne peut pas penser avant.

Si le commencement doit être pensé, il faut d'abord supporter son vide, son indétermination. C'est là une ascèse très difficile, car nous sommes habitués à commencer là où l'être est le plus fort, le plus plein.

1. *Leçons sur l'histoire de la philosophie*, trad. P. Garniron, Paris, Vrin, 1971, t. I, p. 154 (p. 344 de l'éd. H. Glockner).

Mais ce qui doit être énoncé de l'être n'est au commencement qu'un mot vide, rien que « être ». Ce vide est donc le commencement même de la philosophie. L'être est la première chose qui se pense par une pensée raisonnable.

Mais comment faut-il le penser ? C'est là que se dit la chose la plus importante.

La tradition philosophique séparait être et non-être. Pour Platon et Aristote, dans le monde du devenir, la distinction éléatique n'est pas valable : il n'y a pas de néant pur. Mais la distinction est cependant maintenue : les choses sont « entre les deux », entre être et néant. Est-il alors possible de *penser* le néant ? Car Hegel écarte toute approche mystique du néant ; le néant va être *pensé*. Et, penser le néant, c'est affirmer l'identité de l'être et du néant.

L'être pur, indéterminé, sans contenu, est vide ; il n'y a rien à voir en lui, rien à intuitionner. Il est donc « seulement cet intuitionner même, pur et vide[1] ». Alors il n'y a, dans l'être pur, rien à penser. L'être pur est en fait rien, ni plus ni moins que rien. L'être pur est comme le néant. Dès lors être et néant ont même structure, ils sont identiques.

Mais comment l'indéterminé peut-il être identique à lui-même ? C'est en effet toujours un contenu qui est identique à lui-même. En réalité, la proposition « l'être pur est pur néant » a un plan spécial d'identité : c'est une identité qui est spéculative, qui consiste à être *devenir.* Être et néant sont identiques dans le devenir. La coïncidence des opposés n'est pas un état de fait, mais se produit comme devenir. La simultanéité des opposés est devenir. Il ne s'agit pas là d'un devenir quelconque, mais toute pensée est dans ce devenir et l'on ne peut penser hors de ce devenir.

1. Hegel, *Science de la logique*, p. 58 (p. 22 du texte allemand).

« *L'être pur et le pur néant sont la même chose.* Ce qui est la vérité, ce n'est ni l'être ni le néant, mais le fait que l'être — non point passe — mais est passé en néant, et le néant en être... » *Nicht übergeht — sondern übergegangen ist :* D'ORES ET DÉJÀ : on a pensé l'être dans le néant, l'être est déjà le devenir. « ...Pourtant la vérité, tout aussi bien, n'est pas leur état-de-non-différenciation, mais le fait qu'ils sont absolument différents, et que pourtant, tout aussi immédiatement, chacun disparaît dans son contraire. Leur vérité est donc ce mouvement du disparaître immédiat de l'un dans l'autre ; *le devenir* : un mouvement où les deux sont différents, mais par le truchement d'une différence qui s'est dissoute tout aussi immédiatement[1]. »

Le devenir est ainsi différence *et* identité de l'être et du néant.

Genèse et corruption retournent dans quelque chose qui est l'englobant. Dans l'absolu, rien n'est radicalement nouveau ; rien ne subsiste qui ne soit livré à l'anéantissement. L'absolu n'a pas le vide hors de soi, mais en soi. Le néant court à travers l'être.

On peut se demander si cela est à la mesure de la mort. Si ce qu'il y a de hors-circuit dans la mort, dans la mort que connaît l'homme, trouve sa place adéquate dans cet absolu. La question est d'ailleurs posée par Fink[2].

1. *Id., ibid.,* pp. 59-60 (p. 23 du texte allemand).
2. E. Fink, *op. cit.,* p. 159.

LECTURE DE LA *LOGIQUE* (suite)

Vendredi 5 mars 1976

Le néant de la mort isolé du processus de l'être, le néant de la mort qui n'est pas un moment de ce processus, l'indéniable anéantissement de la mort — quel que soit l'inconnu auquel il est lié — apparaît sans commune mesure avec le néant dont Aristote et Hegel, dans la *Logique*, nous parlent.

« Le pur être et le néant pur sont le même », avons-nous lu la dernière fois. Dans la mesure où ils sont identiques, la vérité n'est pas leur état de non-différenciation (ils sont différents en tant qu'identiques), mais le fait qu'ils ne sont pas le même, qu'ils sont absolument différents, et que pourtant ils sont tout aussi absolument non-séparés et inséparables et qu'immédiatement chacun disparaît dans son contraire. Leur vérité est donc ce mouvement du disparaître immédiat de l'un dans l'autre : leur vérité est le devenir. On ne peut pas penser être et néant sans le devenir. « Leur vérité est donc ce mouvement où les deux sont différents, mais par le truchement d'une différence qui s'est dissoute tout aussi immédiatement. » *Le devenir est donc l'unité de cette différence qui est la plus grande possible, mais qui a déjà été l'identité la plus complète.*

Penser que l'être vient du néant et qu'il y aurait là un devenir absolu ou penser que l'être va au néant en tant que néant séparé et séparable, est une pensée insuffisamment pensée. Il n'y a pas de néant séparable.

Dans la remarque 1 (« L'opposition de l'être et du néant dans la représentation »), Hegel écrit : « On a coutume d'op-poser le *néant* au *quelque chose* ; mais quelque chose est un étant déterminé qui se différencie d'un autre quelque chose ; ainsi donc, le néant op-posé au quelque chose, le néant d'un quelque chose quelconque, est aussi un néant déterminé. *Mais ici le néant est à prendre dans sa simplicité indéterminée ; le néant purement en et pour soi*[1] ». Voudrait-on cependant considérer comme plus juste d'opposer à l'être non plus le néant en tant que néant de quelque chose mais le *non-être* que le résultat serait le même, car « le non-être contient le rapport ». Il est les deux, être et négation de l'être. « Il n'est donc pas le néant pur, mais le néant tel qu'il est déjà dans le devenir[2]. »

Hegel va alors montrer la marche vers cette pensée spéculative sur l'identité entre être et néant. Parménide, quand il inaugure la philosophie, commence par la distinction absolue entre être et non-être. Pour Hegel, c'est là une pensée encore abstraite : Parménide a vu que le commencement est être, mais il n'a pas vu que le non-être est en quelque façon. Le « bouddhisme » quant à lui place le néant au commencement. « Le profond *Héraclite*, contre cette abstraction simple et unilatérale, fit ressortir le concept total et plus élevé du devenir, et dit : *l'être est aussi peu que le néant* (das Sein ist so wenig als das Nichts), ou encore tout *coule*, ce qui veut dire que tout est *devenir*[3]. »

Pour Hegel, cette unité être-néant est une pensée

1. Hegel, *op. cit.*, p. 60 (p. 23 du texte allemand).
2. *Loc. cit.*
3. *Id.*, *ibid.*, p. 60 (p. 24 du texte allemand).

biblique, ce qui chez lui veut dire une pensée chrétienne. « Lorsque la métaphysique ultérieure, particulièrement la métaphysique chrétienne, rejeta la proposition selon laquelle à partir du néant c'est le néant qui devient, elle affirma du même coup un passage du néant à l'être ; quel qu'ait été le caractère synthétique, ou simplement représentatif selon lequel elle prit cette proposition, il s'y trouve pourtant, fût-ce dans l'unification la plus imparfaite, un point où être et néant se rencontrent, et où disparaît leur état-de-différenciation[1]. » Ainsi la création *ex nihilo* serait conforme à la proposition spéculative, à cette réserve près qu'elle est encore représentative, encore abstraite.

Or cette identité être-néant est une proposition spéculative, une pensée de la Raison et non pas de l'entendement qui sépare. On ne peut justifier cette identité par des définitions : toute définition présuppose déjà le spéculatif, est une analyse, une séparation, et présuppose la pensée du non-séparable.

On ne peut nommer aucune différence entre l'être et le néant ; il est impossible de trouver une différence parce que, s'il y avait une différence, l'être serait autre chose que l'être pur : il y aurait une spécification. La différence ne porte donc pas sur ce qu'ils sont en eux-mêmes. La différence apparaît ici comme ce qui les embrasse : c'est dans le devenir qu'existe la différence et le devenir n'est possible qu'en raison de cette distinction.

Mais la mort équivaut-elle à ce néant lié à l'être ? Le devenir, c'est le monde phénoménal, la manifestation de l'être. Or, la mort est hors de ce processus : c'est un néant total, un néant qui n'est pas nécessaire à l'apparaître de l'être. Un néant qui ne s'obtient pas par pure abstraction, mais comme un rapt. Dans la mort,

1. *Id., ibid.*, p. 61 (p. 25 du texte allemand).

on ne fait pas abstraction de l'être — c'est de nous qu'il est fait abstraction.

La mort telle qu'elle s'annonce et concerne et effraie et angoisse dans la mort d'autrui est un anéantissement qui ne trouve pas sa place dans la logique de l'être et du néant ; un anéantissement qui est un scandale et auquel des notions morales telles que la responsabilité ne viennent pas se surajouter.

Mais n'y a-t-il pas dans la *Phénoménologie de l'Esprit* une autre notion de la mort ? C'est ce que nous verrons la prochaine fois.

DE LA *LOGIQUE* À LA *PHÉNOMÉNOLOGIE*

Vendredi 12 mars 1976

Interrogation sur la possibilité de répondre par la pensée, l'être, le monde, la positivité, à l'indéniable fin, fin d'être et anéantissement inscrits dans la mort d'autrui et imminents dans mon propre temps, anéantissement inscrit dans la mort dans l'ambiguïté du néant et de l'inconnu. Interrogation qui n'est pas une simple modalité de l'énoncé théorétique de la croyance, de la *doxa*, dans lequel nous accédons à l'être, au monde et à la positivité.

Dans la pensée de l'être, ce néant est pensé, mais il n'est pas pur néant, anéantissement et inconnu de la mort, mais un moment de la pensée de l'être. Dans la *Phénoménologie de l'Esprit*, certains textes ne traitent-ils pas de la mort d'une façon qui rendrait mieux compte, non pas de la constitution du devenir ou de la pensée du devenir, mais de la *fin* du devenir et de tout le scandale qu'est cette fin et qui s'exprime sur le mode émotionnel (l'angoisse chez Heidegger) et qui ici se dira en termes moraux (responsabilité pour la mort d'autrui, scandale de toute nouvelle mort) ? C'est qu'il ne faut pas chercher à la mort une pensée positive, mais une responsabilité à la mesure ou à la démesure de la mort. Réponse qui n'est pas de réponse, mais de responsabilité ; n'est pas à la mesure d'un monde, mais à la démesure de l'infini.

On va aujourd'hui procéder à la présentation d'une des célèbres pages de la *Phénoménologie* où la mort n'est pas seulement un moment jouant son rôle dans la pensée de l'être. Le passage est situé p. 14 *sq.* du deuxième volume de la traduction de Jean Hyppolite. Il faut d'abord situer ce passage.

C'est au cœur de la conscience singulière que se découvre pour Hegel un rapport nécessaire à d'autres consciences singulières. Le je pense n'est possible que si, en même temps que dans ma pensée, je suis en rapport avec d'autres pensées. Chaque conscience singulière est en même temps pour soi et pour autrui. Elle ne peut être pour soi que dans la mesure où elle est pour autrui. Chacune exige la reconnaissance par l'autre pour être elle-même, mais elle doit aussi reconnaître l'autre, parce que la reconnaissance par l'autre ne vaut que si l'autre est lui-même reconnu. C'est là que réside le dépassement de l'immédiat (pour Hegel, toute pensée est une pensée entre consciences ; elle est immédiate quand elle ignore cette relation entre consciences ; l'immédiat, c'est le *cogito* tout seul).

Ce que Hegel appelle Esprit, c'est lorsque cette reconnaissance réciproque des consciences est maintenue et transcendée *(aufgehoben)* dans ces rapports et dans ces conflits. C'est cela la conscience universelle et non immédiate. Mais cette conscience universelle est d'abord immédiate ; l'Esprit est donc comme une nature avant de s'opposer à soi. Ce stade d'immédiateté de l'Esprit, Hegel l'appelle *substance.* L'Esprit est substance et il a devant lui une marche où il doit devenir *sujet*.

Il est substance en tant qu'il fait lui-même sa propre histoire, se développe, « en tant que son contenu spirituel est engendré par lui-même ». Il va devenir sujet, devenir le Savoir que l'Esprit a de lui-même, c'est-à-dire la pensée absolue, la vérité vivante qui se sait elle-même. De l'Esprit qui simplement *est*, il va devenir le Savoir de soi de cet Esprit.

C'est au niveau de cet Esprit immédiat, de cet Esprit comme substance (peuple qui ne s'est pas encore mis en question, qui n'a pas encore rencontré d'autres peuples), que le problème du rapport avec la mort se posera pour Hegel. L'Esprit immédiat est une donnée historique. Le soi-même adhère immédiatement à son action. Il n'y a pas d'endroit où le Soi se nie et s'oppose à son être. Concrètement cela veut dire qu'il y a une nature éthique (ἦθος = coutume).

Pour Hegel, dans cette substance, dans cet état immédiat, il y a comme une scission entre l'universel des lois et la singularité de la substance qui doit elle-même être comprise comme un rapport entre consciences singulières. Hegel appelle cela la scission de cet état éthique en loi humaine et loi divine.

La loi humaine correspond aux lois de la cité, de l'État, et, par conséquent cette substance éthique selon la loi humaine consiste à vivre la vie sociale et politique. Que peut être alors l'autre côté de cette existence ? C'est la *famille*, qui remonte aux origines obscures de toutes choses. Ainsi l'élément masculin représente-t-il la loi humaine et l'élément féminin la loi divine qui est aussi loi du foyer.

La loi de la cité est publique ; tout le monde connaît la loi qui d'ailleurs exprime la volonté de tous. Dans cette loi humaine, l'homme se pose lui-même, il est la position même de soi en tant que soi, sa manière de soi. Il se pense dans la loi et s'oppose à l'obscur dont il s'est détaché. Dans la loi, en plein jour, il se réfléchit.

Mais il y a aussi la loi familiale. Ces deux lois sont autres et se complètent. La loi divine est substance immédiate, elle n'est pas une opération de pensée. Elle est l'être de ces hommes qui ne s'est pas réfléchi et qui renie la loi humaine qui s'en est détachée.

L'État est l'ordre dominateur d'un peuple qui se maintient par le travail en temps de paix et par le combat en temps de guerre. Les individus peuvent prendre conscience de leur être pour soi dans l'État, parce que la conscience que l'État a de lui-même est une force dont tous bénéficient, tous étant reconnus par cette loi. Néanmoins, reconnues de cette manière, les unités intérieures à l'État, les familles, peuvent, dans cette sécurité, se séparer du Tout, c'est-à-dire devenir abstraites. C'est la guerre qui va rappeler les individus détachés du Tout ; sans elle, les individus reviendraient à l'état de pure et simple nature, à l'immédiat, à l'absolument abstrait. La guerre au contraire leur donne à nouveau conscience de leur dépendance ; au stade du peuple, la guerre est nécessaire. « Pour ne pas les laisser s'enraciner et se durcir dans cet isolement, donc pour ne pas laisser se désagréger le tout et s'évaporer l'esprit, le gouvernement doit de temps en temps les ébranler dans leur intimité par la guerre ; par la guerre, il doit déranger leur ordre qui se fait habituel, violer leur droit à l'indépendance, de même qu'aux individus, qui en s'enfonçant dans cet ordre se détachent du tout et aspirent à l'*être-pour-soi* inviolable et à la sécurité de la personne, le gouvernement doit, dans ce travail imposé, donner à sentir leur maître, la mort[1]. »

Ici la mort apparaît comme le Maître absolu.

L'Esprit existe comme individualité d'un peuple, et non pas sous une forme abstraite. La négation est ici présente sous une double forme. D'une part le peuple comme peuple particulier est un peuple déterminé (et toute détermination est une négation) ; d'autre part, il

1. Hegel, *Phénoménologie de l'Esprit*, trad. Jean Hyppolite, Paris, Aubier-Montaigne, s.d., II, p. 23.

y a cette deuxième négation qu'est l'individualité. Et la guerre est cette négativité qui surmonte la nature ou la possibilité pour les familles de retomber dans la nature. La guerre réprime la retombée des familles dans l'être-là naturel loin de l'être-là éthique.

L'État est législation ; c'est l'action de plusieurs en vue d'un but commun. A l'État s'oppose la loi divine, la famille liée par le sang et le rapport de la différence des sexes. Elle est différente de l'État parce qu'elle procède de ce qui est commun alors que l'État va, par la loi universelle, vers ce qui est commun. Partant de cette unité naturelle, de cette unité de sang, Hegel exprime cela en rapportant la famille aux dieux de la Terre (mystique du sol et du sang dans la famille !). L'État procède de la Raison consciente de soi et s'élevant à l'universel. La famille est au contraire quelque chose de naturel, elle est le sous-sol de la vie dont se détache la loi humaine. Mais c'est aussi la nature immédiate *de l'Esprit*, et elle n'est donc pas pure nature ; elle a un principe éthique. Elle devient morale par rapport aux *pénates*, aux esprits protecteurs du foyer.

Que peut dès lors signifier l'esprit éthique de la famille ? La moralité de la famille est autre que celle de l'État. Elle est dans l'État et a beaucoup des vertus de l'État ; elle élève des enfants, prépare des citoyens pour l'État et, en ce sens, elle est pour la disparition de la famille. Mais il existe une éthique propre de la famille qui, à partir de sa moralité terrestre, se rapporte au monde souterrain et qui consiste à *enterrer les morts.*

Ici s'inscrit le rapport avec la mort ou, plus précisément, avec *le* mort.

Hegel définit d'abord négativement le principe éthique propre de la famille ; « En premier lieu, puisque l'élément éthique est l'universel en soi, le rapport éthique des membres de la famille n'est pas le rapport de sensibilité ou le rapport d'amour[1]. » Ce n'est pas l'amour, pas l'éducation, pas un service contingent rendu par un membre de la famille à un autre qui peuvent fournir le principe éthique propre de la famille. Il faut qu'il y ait rapport avec une singularité et, pour qu'il soit éthique, il faut que le contenu de ce rapport soit une universalité. « L'action éthique ne peut donc se rapporter qu'à l'être singulier *total*, ou l'être singulier en tant lui-même qu'universel[2]. »

Hegel donne dès lors la solution : « L'action donc qui embrasse l'existence entière du parent par le sang ne concerne pas le citoyen, car celui-ci n'appartient pas à la famille, ni celui qui sera citoyen et *cessera* ainsi de valoir comme *cet individu singulier* ; elle a comme objet et contenu *cet* être singulier appartenant à la famille, mais pris comme une essence universelle, soustraite à son effectivité sensible, c'est-à-dire singulière ; cette action ne concerne plus le *vivant*, mais le *mort*, celui qui hors de la longue succession de son être-là dispersé se recueille dans une seule figuration achevée, et hors de l'inquiétude de la vie contingente s'est élevé à la paix de l'Universalité simple[3]. »

Quelqu'un qui a une essence universelle sans être citoyen, c'est le mort. Il y a une vertu propre de la famille dans son rapport avec l'ombre. Le devoir à l'égard des morts est le devoir de les enterrer, et c'est lui qui fait la vertu propre de la famille. L'acte d'enterrer est une relation avec le mort, et non pas avec le cadavre.

→ Bataille.

→ Blanchot.

1. *Id., ibid.*, p. 18.
2. *Id., ibid.*, p. 19.
3. *Loc. cit.*

LECTURE DE LA *PHÉNOMÉNOLOGIE (suite)*

Vendredi 19 mars 1976

Chez Hegel, la relation avec la mort et avec le mort en dehors de toute référence à l'être et au néant est un moment nécessaire de la *Phénoménologie de l'Esprit*, c'est-à-dire du mouvement, ou du devenir, ou de l'histoire où la conscience atteint sa pleine possession de soi, où sa liberté est une pensée absolue. Histoire non pas au sens empirique d'histoire de la formation de la pensée, mais histoire arrivant en tant qu'histoire de par les articulations nécessaires à son devenir où elle se fait pensée de l'Absolu ou du concret (de ce qui n'est séparé de rien). A l'un de ces stades, stade où l'on peut parler de l'Esprit immédiat, cette conscience se produit comme une nature éthique, une nature ayant le contenu ou l'*ethos* de la loi. Stade où elle n'est pas l'expérience de cet Esprit, mais Esprit immédiat où l'Esprit est substance ou nature. Dans cette substance en tant qu'immédiat de la nature, se fait une scission entre l'universel des lois et la singularité de la substance, entre la cité et la famille.

A ce stade, alors que la loi humaine est publique, en quoi consiste la loi divine, ou loi de la famille, en tant que *loi* ? Si la famille est substance *éthique*, si elle

n'est pas pure nature, en quoi consiste son éthique ?
(N.B. Pour Hegel, l'éthique est toujours universelle. La
personne est toujours pensée en vertu de l'universalité
de la loi ; Hegel sur ce point est kantien. La personne
en tant qu'individu n'est pas Esprit et n'a pas d'éthique.
Ici, dans la présente recherche, la personne est individu autre, et tout universel va partir de là. Mais, dans
l'idéalisme allemand, la personne est l'universel.)

La famille est communauté naturelle, et cependant
il y a universalité dans la famille elle-même. Où est
l'élément éthique particulier de la famille ? Il faut
inventer une notion exceptionnelle pour que l'on
puisse parler d'éthique de la famille.

Il faut une singularité qui soit universelle. D'où la
réponse de Hegel que l'on a vue la dernière fois :
« Cette action ne concerne plus le vivant, mais le
mort ». La mort est ici entendue comme recueillement,
comme rassemblement. Il y a une universalité de la
personne qui a accompli son destin : c'est une essence.
Tout est accompli, tout est consommé lorsque l'on est
mort.

La relation avec le mort et avec l'universalité de la
mort a son trait décisif dans l'inhumation. Il y a là,
dans la mort, quelque chose qui correspond au concept
nécessaire à l'éthique. La famille ne peut admettre
qu'avec la mort celui qui a été une conscience soit
soumis à la matière, que la matière devienne le maître
d'un être qui était formé, qui était conscience de soi.
On ne veut pas que cet être conscient soit laissé à la
matière car l'être dernier de l'homme, le fait dernier
de l'homme n'appartient pas à la nature. La famille
accomplit un acte de piété à l'égard de celui qui a été
actif : il faut que disparaisse l'apparence de domination
de la nature sur celui qui a été conscient. « La relation
du sang complète donc le mouvement naturel abstrait
en y adjoignant le mouvement de la conscience, en
interrompant l'œuvre de la nature et en arrachant le

97

parent par le sang à la destruction ; ou mieux encore, puisque cette destruction, le passage dans l'être pur, est nécessaire, elle prend sur soi l'opération de la destruction. — Il arrive ainsi que l'être *mort*, l'être universel, devienne un quelque chose qui est retourné en soi-même, un *être-pour-soi*, ou que la pure singularité, sans force et *singulière*, soit élevée à l'*individualité universelle*. Le mort, en ayant libéré son *être* de son opération, ou de son unité négative, est la singularité vide, est seulement un *être passif pour autrui*, abandonné en proie à toute basse individualité irrationnelle et aux forces de la matière abstraite, dont les premières à cause de la vie qu'elles possèdent, les secondes à cause de leur nature négative, sont désormais plus puissantes que lui. La famille écarte du mort cette opération déshonorante des désirs inconscients et de l'essence abstraite, pose sa propre opération à la place des leurs, et unit le parent au sein de la terre, à l'individualité élémentaire impérissable ; elle en fait par là l'associé d'une communauté qui domine, au contraire, et retient sous son contrôle les forces de la matière singulière et les basses vitalités qui voulaient se déchaîner contre le mort et le détruire[1]. »

Il y a destruction de la mort par les parents et une sorte de retour comme s'il y avait un accomplissement, comme si sous l'être sur terre il y avait un tréfonds où l'on retourne et d'où l'on vient (voir en ce sens le terme biblique pour mourir : « Se coucher avec ses ancêtres »). Dans la mort, il y a l'idée d'un retour vers un élément maternel, vers un niveau situé *sous* la sphère phénoménologique.

Les vivants enlèvent le déshonneur de la décomposition anonyme par l'honneur des obsèques. Ainsi transforment-ils le mort en souvenir vivant. Dans l'acte de l'inhumation, il y a une relation exceptionnelle des

1. *Id., ibid.*, p. 21.

vivants avec les morts. Le rituel d'inhumation est une relation expresse du vivant avec la mort à travers son rapport avec le mort. Ici, la mort est pensée et non pas simplement décrite. Elle est un moment nécessaire dans la marche conceptuelle de la pensée elle-même et en ce sens elle est pensée.

On doit se demander s'il n'y a pas dans ces descriptions un élément supplémentaire, déjà par le fait que la région de la mort est identifiée avec la terre, de même qu'il y a quelque chose de non fondé dans la description ; la relation de la mort et du sang. De l'énigme de la mort, réduite dans la *Logique* au néant qui a déjà été pensé avec l'être, Hegel s'approche ici davantage, mais il en parle à partir du comportement du survivant) — bien que l'on ne puisse avoir une approche moins réifiante que Hegel, la mort n'étant ici ni une chose ni une personne, mais une *ombre*.

On peut se tourner maintenant vers le chapitre sur la Religion, Religion qui, dans le développement de la *Phénoménologie*, représente la pénultième figure de la marche de l'Esprit et qui se divise en religion naturelle, religion esthétique et religion révélée.

Dans la religion, la mort a une signification centrale. Dans la Religion esthétique, la tragédie n'est pas simplement un genre littéraire, mais une certaine manière dont la conscience se pense ou se comprend. Hegel voit ici dans la mort un destin souterrain qui fait surgir des êtres livrés à un savoir qui est aussi un savoir fallacieux, un pur apparaître qui n'est qu'apparence. Et c'est le retour du destin qui est la tragédie où la mort joue le rôle de souterrain.

La façon dont la mort indique chez Hegel le fond obscur et voilé introduit le monde de l'apparence dans la pensée (la Caverne est ici un moment de la pensée). C'est encore l'inhumation qui reste l'acte symbolique par lequel les apparentés par le sang en toute liberté protègent le mort en remettant en lui ce qui, la veille encore, était en lui et était lui-même, l'ipséité. Dans un tel type de pensée, la mort n'est pas seulement le néant, mais un retour dans le fond. Est-il légitime d'interpréter ainsi la mort ? Cela peut sans doute être *senti* de cette manière ainsi que l'atteste l'expression biblique citée plus haut. De même Fink cite-t-il la phrase d'un Japonais condamné à mort : « Je vais sans douleur et sans trembler à la potence car je vois le visage souriant de ma mère[1]. »

Mais dans cette mise ensemble de l'idée de fond, de fond dernier, de fond de l'être et de la mort, il y a un certain modèle phénoménal qui semble demeurer chez Hegel. De même dans le deuxième aspect de ce retour ; être pris en protection par des gens du même sang. Là aussi, un pas supplémentaire est franchi lorsque le retour à l'élément est interprété comme retour au fond de l'être.

1. E. Fink, *op. cit.*, p. 179.

LE SCANDALE DE LA MORT
DE HEGEL À FINK

Vendredi 9 avril 1976

Néant de la mort chez Hegel et chez Aristote ; néant qui est déjà commencement comme le sont toutes les fins (définition et détermination), comme si l'être menait son train d'être circulairement. La corruption est corrélative d'une génération comme la génération l'est d'une corruption. Dans l'être des étants ne se comprend pas la mort.

Chez Hegel, le néant est d'une part d'ores et déjà être (cette proposition a un sens spéculatif, elle n'a de sens que spéculatif) ; d'autre part, dans l'Esprit immédiat, la mort est le retour à l'élémental du sang ou de la terre que le mort a rejoints. Il y a retour du défunt dans l'être simple des éléments, mais il en est aussi arraché par le geste conscient du survivant qui accomplit en l'honneur de celui qui a été conscient et ne l'est plus le geste de l'inhumation qui l'arrache à l'être-là naturel. Les obsèques transforment le mort en souvenir vivant ; les vivants ont ainsi un rapport avec le mort et sont déterminés à leur tour par le souvenir.

Dans le même esprit, Hegel identifie dans le chapitre sur la Religion le règne de la mort avec le règne du destin. Le rapport avec la mort est aperçu dans la tragédie qui n'est pas simplement un genre littéraire, mais le lieu où ce sens se joue. Ce qui est réel est voué à la destruction de par le savoir même qu'il a de la réalité : le savoir est ambigu et entraîne le héros à sa perte.

Est-il légitime d'interpréter la mort comme le retour dans le tréfonds ? Le tréfonds est-il à la mesure de la mort ? Comment ce tréfonds, cet *Urgrund* des choses peut-il être pensé ? Hegel ne tire-t-il pas d'un symbole un sens qui n'échappe pas au modèle du monde ? Tout semble être calqué sur le rapport du vivant au mort. Il y a la terre où les parents par le sang accomplissent l'inhumation ; la terre est quelque chose de particulier dans la réalité (Hegel l'appelle l'individualité élémentaire). Mais, en même temps, la terre n'est pas chose particulière mais élément, dans lequel il y a autre chose que les choses. Celles-ci sont constituées de solide, liquide, etc. ; elles cachent leur élémentarité, à la différence de cet ordre qui ne peut à son tour être dit chose. La terre n'est ni le chantier ni le champ ni la montagne ; elle renvoie à un *où* fondamental, à un fond stable, par quoi se définit précisément la terre. D'où la tentation de prendre le fond des choses pour le fond de l'être. L'inhumation est interprétée comme le retour au fond et le fond de la terre comme fond de l'être. D'autre part, la famille en elle-même est considérée comme ce qui unit avant la séparation. Le rapport de la famille à ses membres est le même que le rapport de la terre à ce dont elle est faite : les parents sont autres entre eux mais en même temps ils ne sont pas autres puisqu'ils sont du même sang. Ainsi y a-t-il passage de l'ordre phénoménal à l'ordre non-phénoménal de la terre, passage du fond des choses au fond de l'être.

Ainsi la mort est-elle pensée dans le monde comme un moment de la saisie de soi par soi. Hegel vise toujours la mort dans une interprétation du comportement du survivant. Moment de l'apparition du monde, la mort est intelligible.

Chez Fink[1], la difficulté qu'il y a à dire la mort est présentée comme son *intelligibilité* même. Il faut accueillir la mort en silence, bien que la philosophie puisse dire la raison de ce silence. Nous savons la mort, mais nous ne pouvons la penser ; nous la savons sans pouvoir la penser. C'est en ce sens qu'elle est rupture véritable et c'est en ce sens qu'elle doit être accueillie en silence.

Chez Fink comme chez Heidegger, l'intelligibilité coïncide avec le dicible, avec la fable, avec ce qui peut être conté. Le langage est dessiné par la compréhension de l'être qui est l'existence humaine. Le langage appartient à l'être et est intelligibilité en tant qu'être-au-monde. La philosophie est auto-compréhension de la présence au monde, laquelle est action sur le monde et façon de comprendre.

Fink classe les différentes manières d'être au monde. C'est ainsi qu'il y a :

— Travail, économie ;

— Guerre, lutte, volonté de puissance, affirmation de soi comme substantialité ;

— Éros, lequel est présenté comme relation avec le monde, autrui étant ici compris à partir du monde ;

— Jeu.

Ces activités sont compréhension de l'être et celle-ci est un mode d'être. Elle est dans la langue et la langue peut raconter la compréhension selon ses modalités (travail, guerre, amour, jeu) qui sont des comportements dans et envers l'être.

1. Voir E. Fink, *op. cit.*, pp. 179-208.

La mort peut-elle se dire sans que son néant se convertisse en structure intra-mondaine ? La mort ne comporte-t-elle pas une rupture de la compréhension de l'être ? N'est-elle qu'un cas particulier de l'anéantissement intra-mondain ? Chaque mort est un scandale, une *première* mort ; il n'y a pas de genre de la mort, dit Fink, pas d'approche de la notion en général.

La compréhension de l'être se subsume sous la structure de l'être qu'elle comprend comme si elle était un étant. Le *Dasein* est un étant, un substantif. L'homme en tant que compréhension de l'être tombe sous les catégories de cette compréhension. L'homme se retrouve être un étant, un animal raisonnable.

De là la tendance à traiter la mort comme un fait concernant un étant (Aristote, Hegel), alors que la spécificité à peine pensable de la mort concerne la compréhension même de l'être. La mort est la fin de ce qui rend pensable le pensable et c'est en cela qu'elle est impensable. On ne peut même plus dire que la mort est néant, car le néant et l'être concernent la compréhension.

La philosophie, la compréhension de l'être, proteste contre la réification, met en valeur ce que l'homme n'est pas et qui fait sa dignité. Mais, en réalité, dans les divers modes de la compréhension de l'être il y a déjà l'habitation de l'être dans l'étant. C'est dans le monde que nous venons au monde et dans le monde que nous nous en allons du monde. Dans le monde, nous sommes d'ores et déjà subsumés sous le mondain. Il n'y a pas de libération.

La tendance à se retirer dans la subjectivité par une anthropologie négative, recherche d'un concept transcendantal de l'homme, recherche d'une pensée avant l'être, n'est pas une simple erreur ou une simple errance, mais est aussi inévitable que cette découverte de l'être avant le pensé.

Le problème de la mort est incompréhensible lorsqu'elle ne concerne pas l'homme comme un étant soumis à l'anéantissement mais la compréhension même de l'être. Cette fin ne trouve pas de modèle dans l'intelligibilité.

i.e. it's not death as such, but my death that is the cause of anguish.

UNE AUTRE PENSÉE DE LA MORT :
À PARTIR DE BLOCH

Vendredi 23 avril 1976

La mort comme négation de l'humain. L'humain, chez Aristote, Hegel, Heidegger, était pensé en fonction du monde, terme vers lequel ramène la notion d'être et d'ontologie. Nous avons abouti à une inadéquation entre le néant et la mort développée à partir de l'ontologie. Dans cette ontologie, le monde apparaissait comme le lieu même du sens et le néant était pensé dans sa parenté avec l'être.

Chez Fink, la mort est fin de la compréhension de l'être, fin du néant alternant avec l'être, et ne doit pas être trop tôt confondue avec la négation de la négation qui donne l'être. Il faut se demander si l'on ne se trouve pas ici dans une dimension de sens où se pense un au-delà de l'être et du néant — même si une autre dimension de pensée prend ici un sens, autre dimension qui n'est pas le silence que suggère Fink.

Dans l'analyse heideggerienne de la mort, on est frappé par la réduction de la mort à l'être-pour-la-mort, à la structure du *Dasein*, c'est-à-dire encore à la subjectivité dans son origine, vraie relation avec l'être à partir duquel l'autre homme se comprend. De sorte

106

qu'en exagérant un peu on pourrait dire que, pour Heidegger (qui ne dirait sans doute pas cela), la crainte d'être assassin n'arrive pas à dépasser la crainte de mourir. L'être-à-la-mort, c'est l'être-à-*ma*-mort. Il y a adéquation totale de la mort et du néant et réduction de l'affectivité à l'émotion de l'angoisse à partir de laquelle s'entend le temps originaire. Ce temps originaire est mode d'être de l'être fini. La temporalité se définit par la relation avec le néant. Dès lors le désir le plus profond est désir d'être et la mort est toujours prématurée. La mort n'est pas à la mesure de mon désir d'être ; mon être ne peut recouvrir mon désir d'être : la couverture est trop courte. Dans le formalisme du pur *conatus*, l'existence est le prix suprême. Il n'y a qu'une valeur et c'est celle d'être — valeur purement formelle et dans laquelle s'enracine le refus heideggerien des valeurs.

On propose ici de quitter cette étude de la mort comme moment de l'ontologie, de la mort comme néant et de la temporalité accrochée à l'angoisse du néant pour en venir à une pensée où le sens serait certes encore attaché au monde mais où le sens du monde est profondément lié aux autres hommes. C'est ce qui advient dans une philosophie où la préoccupation sociale anime l'ensemble du savoir et de la culture et où la terminologie ontologique est liée à l'autre. Ce qui advient par exemple dans une pensée religieuse ou une pensée sociale.

La mort, tout en demeurant fin et anéantissement de l'individu, tout en s'interprétant comme nécessité naturelle inéluctable, n'est pas la source de tout sens et de tout non-sens. Son émotion même ne se résume pas à une angoisse de l'être pour l'éventualité de son ne-pas-être et le temps ne remonte pas à l'être-pour-la-mort. Que le temps dans son à-venir même ne remonte pas à la finitude tendue vers l'être-pour-la-mort mais ait une autre signification, qu'il y ait une autre éventualité dans l'analyse de la mort, voilà ce dont on voudrait parler ici à travers la philosophie d'Ernst Bloch.

Dans toute l'histoire de la philosophie, le temps est signe du non-être, de la non-valeur, auxquels s'oppose l'éternité. Chez Heidegger, il n'y a pas d'éternité, mais le caractère tragique de l'existence finie demeure et le temps n'a pas d'autre signification qu'être-pour-la-mort. Dans le temps, il y a une déception essentielle. Dans la philosophie sociale, il y a au moins une temporalité qui tire son sens d'au-delà de ce néant, ne serait-ce que par l'idée de progrès. Ainsi en va-t-il chez Bloch où ces possibilités apparaissent dans les analyses de la mort et du temps.

Chez Bloch, les textes de la maturité comme ceux de la jeunesse justifient l'humanisme. « En tant que réel et non formel, l'humanisme est remis sur pied, écrit-il. L'humain obtient sa place dans une démocratie réellement rendue possible, tout comme la démocratie représente le premier lieu humainement habitable. » L'humain est ici absolument dominant. « Le marxisme bien pratiqué, débarrassé de ses dangereux voisins, est *humanity in action.* » Il constitue la marche inéluctable de l'humain vers sa *Heimat* où l'être se rejoint dans le chez-soi humain. Cette marche est inéluctable dans la mesure où elle est marche de l'être, où elle s'inscrit dans l'essence de l'être qui est ici pensé dans sa finalité humaine[1].

L'incitation à ce mouvement révolutionnaire est le sens de la misère humaine. Qu'est-ce qui a conduit vers le socialisme ceux qui n'en avaient pas besoin ? Peut-être l'âme, peut-être la conscience qui bat dans le silence de ceux qui sont repus. Ainsi, pour Bloch, le spectacle de la misère et de la frustration du prochain

1. E. Bloch, *Das Prinzip Hoffnung* in *Gesamtausgabe*, vol. 5, Frankfurt am Main, Suhrkamp, 1959, p. 1608.

et le discours rigoureusement éthique qu'il engendre, rejoint le discours ontologique. L'accomplissement de l'homme est l'accomplissement de l'être en sa vérité.

Jamais peut-être un corps d'idées n'a présenté une telle surface où l'éthique et l'ontologique, en opposition lorsque le monde est inachevé, sont en surimpression sans que l'on sache quelle écriture porte l'autre. Comment cette solidarité entre ce que sont l'être et le monde d'une part, et de l'autre l'humanité, inséparable dans sa constitution ultime de la solidarité humaine, est-elle pensée ?

Bloch, comme Michel Henry[1], entend le marxisme comme *philosophie* dans le prolongement de la *Phénoménologie de l'Esprit* où le travail atteint sa dignité de catégorie. De même, pour Bloch, il n'y a pas une priorité de l'action qui viendrait se substituer à la recherche de la vérité. Sans intervention d'un quelconque volontarisme, la vérité de l'être est conditionnée par le travail, l'action fait partie de la manifestation de l'être. Ce qui n'est possible que si l'on a élaboré une nouvelle notion de l'intelligibilité de l'être — et c'est cette notion qui, avant la politique ou l'économie, constituerait l'apport spécifiquement *marxien* à la philosophie.

L'intelligibilité de l'être coïnciderait avec son achèvement d'inachevé. Il est puissance ayant à passer à l'acte et l'acte, c'est l'humanité. Mais ce par quoi le possible se détermine n'est pas une opération de l'esprit. L'acte, c'est le travail. Rien n'est accessible, rien ne se montre sans se déterminer par l'intervention du labeur corporel de l'humanité.

Le monde n'est pas achevé parce que le travail n'est pas achevé. Et, tant que le monde n'est pas achevé, tant qu'il y a de la matière non humaine, l'homme est dans l'obscurité qui est sa part de facticité. Dès lors le

1. Voir M. Henry, *Marx*, Paris, Gallimard, 1976, 2 vol.

travail est toujours aliénant : l'homme s'oppose toujours au monde avant cet achèvement où l'être deviendra le « chez-soi », deviendra la *Heimat*.

Le travail de l'homme est cependant condition transcendantale de la vérité. Produire, c'est à la fois *faire* et *présenter l'être en sa vérité. Ce produire est praxis.* Il n'est pas de purement théorique qui ne soit déjà travail. Déjà l'apparition de la sensation suppose un travail. C'est dès lors en tant que travailleur que l'homme est subjectivité. Dès lors, l'homme n'est pas une région de l'être, mais un moment de son effectuation en tant qu'être. La vérité de l'être est donc actualisation de la puissance ou histoire.

Le temps n'est alors ni projection de l'être vers sa fin, comme chez Heidegger, ni image mobile de l'éternité immobile, comme chez Platon. Il est temps d'accomplissement, détermination complète qui est actualisation de toute puissance, de toute l'obscurité du factuel où se tient la subjectivité de l'homme aliéné dans son effectuation technique. Il est actualisation de l'inachevé. Le fait qu'il y a Maître et Esclave est cet inachèvement.

Ainsi le mal social est un défaut en être et le progrès est progrès de l'être même, son achèvement. Ce qui n'est pas encore n'est pas, n'est nulle part. L'avenir est le non-advenu, il n'est pas virtuellement réel, il ne préexiste pas. Le temps est ainsi pris au sérieux. L'élan vers l'avenir est une relation avec l'*utopie* et non pas marche vers une fin de l'histoire prédéterminée dans le présent qui est obscur.

Le temps est pure espérance. C'est même là le lieu natal de l'espérance. Espérance d'un monde achevé où l'homme et son travail ne seront pas marchandises. Espérance et utopie sans lesquelles l'activité qui accomplit l'être — c'est-à-dire l'humanité — ne pourrait commencer ni continuer dans sa longue patience de science et d'effort.

110

Pour Bloch, cette espérance s'inscrit dans la culture ou, plus exactement, dans tout un côté de la culture qui échappe à la damnation du monde inachevé et aliéné. Cette philosophie qui se présente comme une interprétation du matérialisme dialectique porte une extrême attention à toutes les formes de l'œuvre humaine, procède à une herméneutique raffinée de la culture universelle qui vibre par sympathie. Dans la culture, le monde achevé est *entrevu*, malgré la lutte des classes ou comme source du courage dans cette lutte.

LECTURE DE BLOCH *(suite)*

Vendredi 30 avril 1976

La philosophie qui nous est transmise repose sur un certain nombre d'identifications :

— Identité mort humaine / néant des philosophes (la mort est un moment du devenir) ;

— Identité philosophie / ontologie (l'être est le lieu privilégié auquel se réfère toute pensée sensée) ;

— Identité être / monde ;

— Identité homme / *Dasein* (compréhension de l'homme à partir du monde, mourir entendu comme ne-plus-être-au-monde) ;

— Identité originelle de *la* mort et de *ma* mort (la responsabilité pour la mort d'autrui est dérivée ; on soulignera cependant que, chez Platon, commettre une injustice est plus grave que la subir) ;

— Identité entre l'affectivité où s'établit la relation avec la mort et l'angoisse engendrée dans sa pureté par l'atteinte portée à mon désir d'être ;

— Identification du temps originaire et de l'être-pour-la-mort, du temps et de la finitude ;

—– Identification de la finitude et de la perfection humaines.

Dans la pensée religieuse et sociale, nombre de ces égalités sont ébranlées, même si l'identité de la philosophie et de l'ontologie et la primauté du monde dans toute intelligibilité sont maintenues. (Il faut voir, tout entendement est monstration, le langage est apophantique, il montre ; le langage s'incruste dans ce qu'il exprime.)

Dans le marxisme tel qu'il est interprété par Bloch, l'être et le monde n'ont de sens que subordonnés à l'affranchissement, à l'émancipation ou au salut de l'homme. Il y a une structure éthique de cette ontologie ! L'ambiguïté éthique-ontologie se présente de telle sorte que le souci de l'humain n'est plus simple science humaine, mais commande toute intelligibilité et tout sens.

La mort dans sa concrétion ne se réduit pas à la pure négation de l'être. Si quelque chose peut être sauvé, la mort perd son dard (il ne faut pas se cacher le danger de ce langage de « prédicateur » qui peut être une hypocrisie). Le temps de son côté est vu de manière différente de celle qui en tire le sens de la mort entendue comme fin de l'être. Chez Bloch, sont pris au sérieux le temps du travail et le temps de l'avenir entendu comme ce qui n'est pas encore advenu, comme ce qui n'est advenu d'aucune façon, pas même sous forme de projet. Le monde dans l'histoire est inachevé, l'être n'est pas encore. La fin est utopie. La *praxis* est possible non pas par la fin de l'histoire, mais par l'espoir utopique de cette fin. Le présent et le moi humain dans cette histoire comportent une zone d'obscurité qui s'éclaire par l'utopie.

L'espérance est nécessaire à l'histoire. Elle est inscrite pour Bloch dans la culture qui est un moment de l'être échappant à la damnation de l'inachevé. Dans l'espérance, il y a une anticipation, on est au monde comme si le monde était achevé. Cette espérance ne signifie pas la nécessité de ce qui se produira ; elle est

113

utopie. Il ne s'agit pas non plus d'un Savoir absolu mais, pour prendre cette expression qui n'est pas dans Bloch, d'une habitation absolue. *Heimat* signifie être-là.

Cette utopie « court-circuite » le temps, mais elle est en même temps un facteur de l'humain et du travail. Ce court-circuitage du temps est condition de la conscience révolutionnaire. L'utopisme d'espoir est temporalisation du temps, patience du concept. Le temps comme espérance de l'utopie n'est plus le temps pensé à partir de la mort. L'extase première est ici l'utopie et non plus la mort. Et cependant il y a analogie entre l'utopisme de Bloch et les philosophies contemporaines qui voient dans l'avenir le sens même du temps.

Chez Bergson, la durée est liberté pour l'avenir. L'avenir est ouvert, on peut donc remettre en question le définitif du passé auquel à tout instant est conféré un sens nouveau (rupture avec le temps du *Timée*). Dans *Les Deux sources*, la durée est apparentée avec la relation au prochain. Temps plein de printemps, principe de vie qui devient temps de la socialité, générosité pour le prochain.

Chez Heidegger, il y a une autre philosophie du temps pensé à partir de l'extase de l'avenir. C'est à la finitude de l'existence humaine vouée à être que le temps doit son originalité comme temporalisation à partir de l'avenir. L'être-pour-la-mort est le plus propre de l'homme, c'est l'angoisse où advient l'imminence du néant qui est la modalité la plus authentique de l'humain.

Le néant de l'utopie n'est pas le néant de la mort. Chez Bloch, ce n'est pas la mort qui ouvre l'avenir authentique, c'est au contraire dans l'avenir authentique que la mort doit être comprise.

Avenir d'utopie en tant qu'espoir de réaliser ce qui n'est pas encore. Espoir d'un sujet humain encore étranger à lui-même, encore *Dass-sein* : pur fait d'être, pur fait qu'il est, facticité de l'homme dans le monde historique. Espoir d'un sujet historique séparé du monde dans sa facticité, invisible à lui-même, éloigné du lieu où il pourra être lui-même *Dasein*. Subjectivité de ce sujet qui ne revient pas à la tension sur soi, au souci d'être — subjectivité comme dédicace à un monde à venir.

Pour Bloch, l'angoisse de la mort vient du fait de mourir sans achever son œuvre, son être. C'est dans un monde inachevé que nous avons l'impression de ne pas achever notre œuvre. Bloch ne veut pas ignorer le noyau obscur de la subjectivité dans sa singularité à laquelle la nature s'oppose. Il reproche à Bergson et aux philosophies de l'élan vital d'avoir négligé cette singularité de la subjectivité. L'œuvre de l'homme est historique mais n'est pas à la mesure de l'utopie. Il y a échec dans toute vie, et la mélancolie de cet échec est sa façon de se tenir dans l'être inachevé. Mélancolie qui ne dérive pas de l'angoisse. C'est l'angoisse de la mort qui serait au contraire modalité de cette mélancolie de l'inachèvement (qui n'est pas blessure d'amour-propre). La peur de mourir, c'est la peur de laisser une œuvre inachevée, et donc de n'avoir pas vécu.

Mais il y a possibilité d'instants de vraie habitation, l'espoir de quelques moments où « une place est laissée à la conscience de la gloire de l'utopie en l'homme[1] ». Cet instant où la lumière de l'utopie pénètre dans l'obscurité de la subjectivité, Bloch l'appelle *étonnement*. Ainsi, dans *Traces*, cet étonnement qu'il *pleuve* — étonnement qui ne se confond pas avec l'étonnement « qu'il y ait de l'étant[2] ».

1. E. Bloch, *Das Prinzip Hoffnung*, p. 1388.
2. E. Bloch, *Traces*, trad. Hans Hildenbrand et Pierre Quillet, Paris, Gallimard, 1968, pp. 235-238.

LECTURE DE BLOCH *(fin)*
VERS UNE CONCLUSION

Vendredi 7 mai 1976

Le sujet, dans l'obscurité du pur fait d'être, œuvre pour un monde à venir et pour un monde meilleur. Son œuvre est donc historique. Dans l'avenir immédiat, l'utopie ne réussit que partiellement ; elle est donc toujours un échec et la mélancolie de cet échec est la façon dont l'homme s'accorde à son devenir historique. Mélancolie qui ne dérive donc pas de l'angoisse comme c'est le cas chez Heidegger. C'est au contraire l'angoisse de la mort qui serait une modalité de la mélancolie. La peur de mourir, c'est la peur de laisser une œuvre inachevée.

Que ce souci de l'avenir vrai ne soit pas seulement de l'agitation, qu'il ne soit pas seulement divertissement, Bloch le montre en évoquant ces moments privilégiés où l'obscurité du sujet (le *Dass-sein*) est traversée par un rayon venant de l'avenir utopique. Là, « une place est laissée à la conscience de la gloire de l'utopie en l'homme », dit Bloch, qui appelle *étonnement* cette « pénétration ». La culture même doit être interprétée comme espérance (il n'y a pas de « Révolution culturelle » chez Bloch !).

L'étonnement ne tient pas à la quiddité de ce qui étonne, mais à un certain moment. Ce qui peut le provoquer ne se trouve pas seulement dans des relations hautement signifiantes, mais aussi dans la façon dont une feuille est remuée par le vent, dans la beauté d'une mélodie, le visage d'une jeune fille, un sourire d'enfant, un mot. Alors s'insère l'étonnement qui est question et réponse, espérance d'un foyer, d'un *Dasein* où le *Da* soit pleinement réalisé, et non pas du simple *Dass-sein*.

Pour évoquer ce moment d'étonnement, Bloch se réfère à Knut Hamsun (l'étonnement du « il pleut ») comme il cite Tolstoï (*Anna Karénine* et *Guerre et Paix*). Dans *Guerre et Paix*, il y a ce moment où le prince André, blessé sur le champ de bataille d'Auster-litz, contemple le ciel *haut*, ni bleu ni gris mais seulement haut. Et Tolstoï, qui insiste sur la *hauteur* de ce ciel, écrit : « Regardant Napoléon dans les yeux, le prince André songeait à la vanité de la grandeur, à la vanité de la vie dont personne ne pouvait comprendre le sens, *et à la vanité encore plus grande de la mort dont nul vivant ne pouvait pénétrer et expliquer la signification*[1]. » Ici, la mort perd son sens, elle est vaine par rapport à cet accord avec l'être que ressent le prince André.

L'étonnement est question qui n'est pas position de question, et dans laquelle il y a aussi réponse. Il est question de par l'obscurité du sujet, et réponse de par la plénitude de l'espérance. Bloch décrit donc cet étonnement par le terme de *foyer* qui est anticipation du monde achevé où disparaît l'obscurité de la singu-larité.

Il le décrit aussi par le terme de *loisir*, en opposant ce loisir de pure disposition à celui qu'offre le monde inachevé ou capitaliste, et qui est soit le vide du temps

1. Voir Tolstoï, *Guerre et Paix*, livre III, deuxième partie, chap. XXXVI.

(les « tristes dimanches ») soit la continuation de l'exploitation (reconstitution de la force de travail). Loisir où disparaît dans la question l'étrangeté de l'être, où l'être est entièrement mien. Mien à tel point que ce qui se passe dans le monde est mon affaire. C'est là que la formule *tua res agitur* prend son sens le plus fort. L'intensité de ce « tien » est plus forte que toute possession, que toute propriété.

C'est là la façon d'être personnel dans un monde achevé et réussi, sans mélancolie — et c'est cela qui enlève à la mort son dard. Le moi est moi dans la clarté d'un monde auquel l'homme ne s'oppose plus. La mort ne peut alors toucher l'homme, car l'humanité a déjà quitté l'individu. Là règnerait un être qui est bonheur.

La constitution d'un lien d'habitation humain et l'événement de l'être en tant qu'être, c'est le même événement, le même *Ereignis* d'auto-appropriation, l'apparition du possessif du *tua res agitur*. Dans cette apparition de l'être arrivé à terme, il y a fin de l'opposition entre l'homme et l'être et fin de la facticité. La transformation du monde qui est en formation, monde où l'homme introduit des formes dans la matière par la *praxis* — ce processus objectif est si intimement ou authentiquement ou proprement lié à cette *praxis* que l'objectivité s'exalte en possessif, devient possessif, devient le possessif du *tua res agitur*. Peut-être le lieu originel du possessif se situe-t-il ici, au lieu de se situer dans la propriété des choses.

A partir du *tua res agitur* s'identifie l'identité du moi. Par conséquent, le vieux principe épicurien est justifié : quand la mort est là, *tu* n'es pas là ; il n'y a pas encore de *tu*. Dans le monde humanisé, l'homme n'est pas atteint par la mort. Tout est réalisé, tout est accompli, tout est dehors. Ainsi, l'achèvement résout le problème de la mort — mais sans la supprimer.

De cette vision, trois choses sont ici à retenir :

— La possibilité pour l'homme de tenir son identité d'ailleurs que de la persévérance dans son être à laquelle Heidegger nous a habitués, d'ailleurs que de ce *conatus* où la mort porte atteinte au superlatif de tout attachement, à l'attachement à l'être ; ici, au contraire, l'homme ne se préoccupe pas en premier lieu de son être ;

— La subordination de l'être et du monde à l'ordre éthique, à l'ordre humain, à l'achèvement (fin de l'exploitation) — et cela, même si pour parler de cet achèvement Bloch parle le langage de l'être et de l'ontologie ;

— La façon dont Bloch détache le temps de l'idée de néant pour le rattacher à l'achèvement utopique. Le temps ici n'est pas pure destruction — tout au contraire.

Il y a dans tout cela une invitation à penser la mort à partir du temps et non plus le temps à partir de la mort. Cela n'enlève rien au caractère inéluctable de la mort — mais ne lui laisse pas le privilège d'être la source de tout sens. Chez Heidegger, du moins dans *Sein und Zeit*, tout ce qui est oubli de la mort est inauthentique ou impropre, et le refus lui-même de la mort dans la distraction renvoie à la mort. Ici au contraire, le sens de la mort ne commence pas dans la mort. Cela invite à penser la mort comme un moment de la *signification* de la mort — sens qui déborde la mort. Il faut soigneusement noter que déborder la mort ne signifie en aucun cas la dépasser ou la réduire, mais que ce débordement a aussi sa signification. Des expressions telles que « L'amour est plus fort que la mort » (en fait *Le Cantique des Cantiques* dit exactement : « L'amour, fort comme la mort ») ont leur sens.

On remarquera aussi ces expressions de Jankélévitch dans son livre sur *La Mort* : « La mort est plus forte

que la pensée ; la pensée est plus forte que la mort[1]. »
« L'Amour, la Liberté, Dieu sont plus forts que la mort.
Et réciproquement[2] ! » Jankélévitch qui écrit encore :
« La mort et la conscience ont l'une et l'autre le dernier
mot, lequel (ce qui revient au même) n'est chaque fois
que l'avant-dernier. La conscience prévaut sur la mort
comme la mort prévaut sur la conscience. La pensée
a conscience de la suppression totale, mais elle succombe à la suppression, qu'elle pense, et qui pourtant
la supprime. Ou réciproquement : elle succombe à la
suppression, et pourtant elle la pense. [...] Il sait qu'il
meurt, le roseau pensant ; et nous ajoutons aussitôt : il
n'en meurt pas moins. Mais nous voilà revenus à notre
point de départ : il meurt, mais il sait qu'il meurt[3]. » Il
cite encore Ionesco *(Le Roi se meurt)* : « Si tu as
l'amour fou, si tu aimes intensément, si tu aimes
absolument, la mort s'éloigne[4] » avant de noter : « C'est
pourquoi Diotime, dans le *Banquet*, dit que l'amour
est ἀθανασίας ἔρως, désir d'immortalité[5]. »

Ces négations réciproques s'arrêtent-elles à leur réci-
procité, ou ont-elles une signification, qui serait dès
lors à préciser ? La mort, tout en étant la plus forte,
n'est-elle pas nécessaire au temps dont elle semble
arrêter le cours ? L'amour plus fort que la mort :
formule privilégiée.

On en vient à la même contestation de la subordination du temps à l'être-pour-la-mort en retenant l'au-
dace de Bloch qui interprète autrement que comme
angoisse pour mon être l'affectivité dans laquelle la
mort s'annonce. Chez Heidegger, la mort s'annonce
dans la conscience de la fin de mon être. C'est par

1. V. Jankélévitch, *op. cit.*, p. 383.
2. *Id.*, *ibid.*, p. 389.
3. *Id.*, *ibid.*, pp. 383-384.
4. E. Ionesco, *Le Roi se meurt*, Paris, Gallimard, 1963, p. 112 ; cité
p. 390.
5. V. Jankélévitch, *op. cit.*, p. 391 ; l'expression de Platon est en *Banquet*,
207a.

rapport à mon être qui est avoir-à-être que serait comprise l'angoisse. Bloch de son côté tend à trouver dans l'angoisse du mourir une menace autre que celle qui concerne l'être. Comme si, dans l'être, se produisait ce qui est plus haut ou mieux que l'être. L'événement d'être est pour Heidegger l'ultime événement. Ici, l'événement d'être est subordonné à un achèvement où l'homme trouve son foyer. L'être, en un certain sens, contient plus ou mieux ou autre chose que l'être ; pour Bloch, c'est l'achèvement du monde, sa qualité de foyer, laquelle est atteinte dans le monde achevé. L'angoisse serait dans sa visée première la mélancolie de l'œuvre inachevée. Qu'une telle émotion puisse dominer l'inéluctable de la mort, que celle-ci ne soit pas marquée seulement par la menace qui pèse sur mon être et qu'elle n'épuise pas son sens à être signe du néant — voilà ce qui compte le plus chez Bloch et qui doit être ici retenu.

On revient ainsi à l'amour « fort comme la mort ». Il ne s'agit pas d'une force qui puisse repousser la mort inscrite dans mon être. Mais ce n'est pas mon non-être qui est angoissant, mais celui de l'aimé ou de l'autre, plus aimé que mon être. Ce qu'on appelle d'un terme un peu frelaté amour est par excellence le fait que la mort de l'autre m'affecte plus que la mienne. L'amour de l'autre, c'est l'émotion de la mort de l'autre. C'est mon accueil d'autrui, et non l'angoisse de la mort qui m'attend, qui est la référence à la mort.

Nous rencontrons la mort dans le visage d'autrui.

PENSER LA MORT À PARTIR DU TEMPS

Vendredi 14 mai 1976

Penser la mort à partir du temps — et non pas, comme chez Heidegger, le temps à partir de la mort —, c'est l'une des invitations tirées de l'aperçu de l'utopisme de Bloch. D'autre part, partir de la mise en question, dans cet utopisme, du sens prêté à l'émotion qui accueille la mort (mélancolie d'une œuvre en échec). Faire ressortir la question que la mort soulève dans la proximité du prochain, question qui, paradoxalement, est ma responsabilité pour sa mort. La mort ouvre au visage d'Autrui, lequel est expression du commandement « Tu ne tueras point ». Tenter de partir du meurtre comme suggérant le sens complet de la mort.

On retrouve ainsi les traits déjà suggérés dans la phénoménologie de la mort. La fin qui s'inscrit dans la mort et la question par-delà toute modalité doxique, question originelle, sans position de question, sans thèse, question pure qui se soulève, question comme pur soulèvement de question. D'où la question qui ici se propose. Est-ce que l'on peut chercher le sens de la mort à partir du temps ? Ne se montre-t-il pas dans la diachronie du temps entendu comme relation à l'autre ?

Peut-on entendre le temps comme relation avec l'Autre au lieu de voir en lui la relation avec la fin ?

Un problème préalable se pose. Y a-t-il un entendement du temps alors que le temporel, ce qui devient, jure avec la raison ? Comment prêter un sens au temps, alors que pour la philosophie l'identité est l'identité du Même, alors que l'intelligibilité se plaît ainsi dans le Même, se plaît en l'être dans sa stabilité de Même, se plaît à assimiler l'Autre dans le Même, alors que toute altération est insensée, alors que l'entendement assimile l'Autre dans le Même ?

Pensant à ce qu'est la rationalité du devenir chez Hegel, on peut affirmer que le Même conserve son privilège de rationnel malgré la force de la négativité attachée au sujet et à son rôle. Il y a possibilité de penser l'identité de l'identique et du non-identique, dans laquelle persiste une rationalité du Même. Passe alors pour purement subjectif, pour romantique, tout ce qui ne coïncide pas avec soi-même, tout ce qui est encore en devenir. L'inquiétude, la recherche, le désir et la question sans son appel de question, la question comme prière adressée à l'autre, tout cela est mal coté parmi les valeurs positives, tout cela est interprété comme décroît de ces valeurs positives et comme d'indigentes connaissances. Que l'on puisse penser ces privations mal cotées selon d'autres critères, c'est ce que l'on voudrait suggérer ici.

Mais ces privations et le devenir temporel lui-même se réfèrent dans notre intellectualisme coutumier à la stabilité et à l'accomplissement de ce qui est présent à soi, de ce qui est venu à terme. Le terme serait présent vivant, stabilité à même de se présenter et de se représenter, de tenir ensemble dans une présence, d'y être prise en main. D'où le fractionnement du temps en instants, en atomes identiques, en points, pointes d'épingle, purs « où » et purs « quand » comme naissance et exténuation dans une pure épaisseur. Référence au consistant.

D'où la confusion faite entre le temps et l'être qui dure dans le temps.

Husserl, qui ramène à la temporalité l'ultime intelligibilité, y ramène toute l'éternité des idées (éternité comme omni-temporalité), Husserl, qui trouve la genèse de tout être et de tout sens dans le présent vivant, décrit cette temporalité immanente comme un *flux* ou un courant de qualités sensibles. Il y a là une tacite présupposition de la composition d'instants du temps. Le temps est forme de qualités qui s'écoulent en s'altérant, flux de quiddités identifiables par leur ordre dans le temps. Même si le temps est forme de ces qualités, la forme elle-même ne reconstitue-t-elle pas l'identité ? La forme rappelle l'identité, le statut de l'identité du contenu. Forme de qualités, de sensations qui s'interprètent comme quiddités, données, éléments du savoir et de l'apparaître discernables par leur ordre dans le temps. Les instants passent comme s'ils étaient des choses. Ils s'écoulent, mais ils sont retenus ou « protenus ».

La catégorie du Même qui commande ces descriptions n'est pas mise en question. Le devenir est une constellation de points identiques. L'autre demeure un autre même, identique à lui-même, discernable du dehors par sa place dans cet ordre. La compréhension du temps résiderait dans le rapport entre un terme identique à lui-même et la présence. Toute altération de l'identique retrouverait l'identité dans cette co-présence régie par la rétention et la protention. Cette possibilité de la synchronie des termes est l'épreuve même de leur sens, elle assure à la différence des termes la stabilité de l'instant, où temps et réel continuent à se confondre. L'identité du terme ne renvoyant qu'à lui-même est ainsi assurée.

L'inquiétude, le non-repos du temps s'apaisent dans

124

cette analyse. La possibilité de la représentation et de la co-présence est la possibilité de la présence qui est la possibilité du terme dans un ordre (commencement ou fin), est ainsi la possibilité de la notion même d'originel ou d'ultime, du terme ne renvoyant qu'à lui-même. Rationalité du repos, de la positivité, c'est-à-dire de l'être.

L'ultime métaphore du temps serait le flux, l'écoulement d'un liquide — métaphore tirée du monde des objets alors qu'elle doit saisir la source de toute objectivité. Le temps n'est-il pas alors présupposé, comme le support de tout moment ?

On peut supposer que le flux du courant et l'écoulement des choses et le mouvement lui-même sont des métaphores empruntées au flux de la conscience, et qu'au propre le flux ne peut se dire que du temps qui ne se confond pas avec le contenu qui dure. C'est peut-être là la pensée bergsonienne de la durée qui précède le contenu qui dure. Mais peut-on prêter cette pensée à Husserl, pour qui le temps est toujours pensé à partir du contenu ? A la question « Le flux du temps ne suppose-t-il pas un autre temps ? », Husserl répond par la négative. Le flux serait originellement le trait de la description de la conscience.

La déduction heideggérienne de l'extase du temps à partir de l'être-à-la-mort, qui se devance sans que ce se-devancer soit emprunté à rien de fluvial, est spéculativement plus satisfaisante que toute image de fleuve.

Mais sommes-nous astreints, pour comprendre le temps irréductible à l'identité du Même, à partir de l'image du flux ? Le non-repos du temps, ce par quoi le temps tranche sur l'identité du Même, peut-il signifier autrement que selon la mobilité continue que suggère la métaphore privilégiée du flux ? Pour répondre à cette question, il faut se demander si Même et Autre ne doivent leur sens qu'à la distinction de qualité ou de quiddité, c'est-à-dire au donné dans le temps et au

↳ mais la métaphore a-t-elle été bien élucidée ?

discernable. Autrement dit, le non-repos ou l'inquiétude du temps ne signifient-ils pas, avant toute terminologie ou recours à des termes n'appelant à aucune image de fleuve ou d'écoulement, une inquiétude du Même par l'Autre qui n'emprunte rien au discernable et au qualitatif ? Inquiétude qui s'identifierait indiscernable ou ne s'identifierait par aucune qualité. S'identifier ainsi, s'identifier sans s'identifier, c'est s'identifier comme *moi*, s'identifier intérieurement sans se thématiser, sans apparaître. S'identifier sans paraître et avant de prendre un nom.

Ce que l'on entrevoit dans des phénomènes comme la recherche et le devenir en elle, qui peuvent signifier en moi un rapport avec ce qui ne se dit pas absent par défaut mais qui, inqualifiable, ne saurait coïncider avec rien, former avec rien un présent ni se loger dans une représentation, dans un présent. Aucun présent n'aurait des capacités à la mesure de cet inqualifiable tout autre que terme, tout autre que contenu. Parce que infini, cet inqualifiable serait inassumable.

Le temps et tous les phénomènes temporels (recherche, question, désir, etc.) sont toujours analysés par défaut. Ne peut-on pas, dans ces phénomènes, penser leur vide, leur inachèvement comme un pas au-delà du contenu, un mode de relation avec le non-contenable, avec l'infini que l'on ne peut dire terme ?

La relation avec l'infini est question intenable, irre-présentable, sans ponctualité pour se laisser désigner, hors l'englobement de la compréhension où le successif se synchronise. L'infini n'exclut pas cependant la recherche, c'est-à-dire que son absence n'est pas pure absence. La recherche ne serait pas le non-rapport avec le différent, mais rapport avec le singulier, rapport de différence dans la non-indifférence, excluant toute commune mesure, fût-ce l'ultime, la communauté, la co-présence. Un rapport resterait cependant, et cela serait la diachronie même. Le temps serait à penser comme le rapport même avec l'Infini. La recherche où la question ne serait pas déficience d'une quelconque possession, mais d'emblée relation avec l'au-delà de la possession, avec l'insaisissable où la pensée se déchirerait.

Toujours. Toujours se déchirerait. Toujours expliquant le comment de ce déchirement. Le toujours du temps serait engendré de par cette disproportion entre le désir et ce qui est désiré — et ce désir lui-même serait rupture de la conscience intentionnelle dans son égalité noético-noématique.

Recherche comme questionnement, questionnement d'avant toute question sur le donné. *Infini dans le fini.* Fission ou mise en question de celui qui interroge. Ce serait cela la temporalité.

Mais que peut signifier ce *dans* ? Mise en question de moi par l'autre en tant qu'appel à ma responsabilité, laquelle me confère une identité. Questionnement où le sujet conscient se libère de lui-même, où il est scindé, mais par excès, par transcendance : là se trouve l'inquiétude du temps comme éveil. Ce dérangement par l'autre met en question l'identité où se définit l'essence de l'être. Cette fission du Même par l'intenable Autre au cœur du moi-même où l'inquiétude dérange le cœur en repos et qui n'est pas réduite à une intellection quelconque de termes — cette inquiétude au cœur du repos qui n'est pas encore réduite à des points d'identité brûlants et brillants par leur identité, suggérant par ce repos l'éternité plus vieille que toute inquiétude — c'est le réveil, c'est la temporalité.

Il est nécessaire de penser de manière éthique ce déchirement du Même par l'Autre. La récurrence de cette identification du Même, c'est subir toute passion au point de pâtir, c'est-à-dire de souffrir une assignation sans dérobade, sans s'évader vers la représentation pour tromper l'urgence. Être à l'accusatif avant tout nominatif. L'identité intérieure signifie tout juste l'impossibilité de se tenir en repos. Elle est d'emblée éthique.

Le temps, plutôt que courant des contenus de la conscience, est la version du Même vers l'Autre. Version vers l'autre qui, en tant qu'autre, préserverait jalousement, dans cette version inassimilable à la représentation, la diachronie temporelle. Comme l'immémorial à la place de l'origine, c'est l'infini qui est la téléologie du temps. Cette version vers l'Autre répond, selon une intrigue multiple, d'autrui mon prochain. Responsabilité incessible dont l'urgence m'identifie irremplaçable et unique.

Le toujours du temps, l'impossibilité de l'identification de Moi et de l'Autre, l'impossible synthèse du Moi et de l'Autre. Diachronie. Diastole. Impossibilité de composer sur le même terrain, de com-poser au monde, impossibilité en guise de glissement de la terre sous mes pieds.

« Incessance » de cette différence. Diachronie. Patience de cette impossibilité, patience comme longueur de temps, patience ou passivité, patience qui ne se ramène pas à l'anamnèse rassemblant le temps. Laps du temps irrécupérable qui souligne l'impuissance de la mémoire sur la diachronie de temps. Impuissance de la mémoire sur le laps du temps dans l'image du flux qui souligne la diachronie du temps.

La différence ne diffère pas comme une distinction logique mais comme non-indifférence, comme désir du non-contenable, désir de l'infini. Contre toutes bonnes logique et ontologie, réalité de l'impossible où l'Infini qui me met en question est comme un plus dans le moins.

Non-indifférence ou désir comme « tendance » distincte des tendances érotiques. L'érotique comme impatience dans cette patience, comme l'impatience même. Version du Même et non pas intentionnalité qui est corrélation, qui s'absorbe dans son corrélat, qui se synchronise avec le saisissable, le donné. La version se tourne vers, mais autrement.

Pour l'Infini, l'englobant serait insuffisant.

POUR CONCLURE : QUESTIONNER ENCORE

Vendredi 21 mai 1976

Penser le temps indépendamment de la mort à laquelle mène la synthèse passive du vieillissement, décrire le temps indépendamment de la mort ou du néant de la fin que la mort signifie. Penser la mort en fonction du temps, sans voir en elle le projet même du temps. Penser le sens de la mort — non pas la rendre inoffensive, ni la justifier, ni promettre la vie éternelle, mais essayer de montrer le sens qu'elle confère à l'aventure humaine, c'est-à-dire à l'essance de l'être ou à l'au-delà de l'essance. Penser le temps tout en reconnaissant à la mort une différence par rapport au néant issu de la simple négation de l'être.

La mort n'est pas du monde. Elle est toujours un scandale et, en ce sens, toujours transcendante au monde. Le néant issu de la négation reste toujours lié au geste intentionnel de la négation et garde ainsi la trace de l'être que ce geste refuse, repousse, renie — alors que la mort soulève une question qui n'est pas posée, qui ne se trouve pas être une modalité de la conscience, qui est question sans donnée. Tout acte de la conscience en tant que savoir est croyance et position ou *doxa*. La question que soulève le néant de la mort est un pur point d'interrogation. Point d'interrogation tout seul, mais marquant aussi une demande (toute question est demande, prière). La question que soulève le néant de la mort n'est pas une modification doxique quelconque ; elle est du ressort d'une couche du psychisme plus profonde que la conscience, du ressort d'un événement où se rompt l'événement — et c'est là qu'il faut aller chercher le temps.

La possibilité de se poser à soi-même une question, le fameux dialogue de l'âme avec elle-même, ne serait jamais possible sans que se soit produite la relation avec Autrui et le point d'interrogation de son visage.

Que le temps dure comme une modalité psychique sans *doxa,* comme une durée qui n'est à aucun titre connaissance, qui dure sans égard pour la conscience qu'on peut prendre de la durée, conscience qui elle-même dure (la conscience de la durée est la durée de la conscience), et que cette durée ait néanmoins un sens, et même un sens religieux, le sens d'une déférence à l'Infini — c'est ce qu'indiquait le cours précédent.

Pour dégager la signification de cette durée, il faut la chercher sans s'en tenir à l'image mobile de l'éternité immobile, ni à l'idée de flux, ni à l'être-pour-la-mort et au temps pensé à partir du jeu être/néant. Il faut penser rationalité et sens sans s'attacher au modèle du remplissement (Husserl) où vient aboutir toute une histoire de la Raison d'après laquelle le *sensé* est le pleinement *possédé,* est ce qui se donne, comble et satisfait, ce qui est égal à ce qu'on attend de lui, ce qui peut être tenu et contenu, ce qui est un résultat.

Rationalité de ce résultat saisissable, compréhensible, par rapport à quoi la durée nous inquiète par son pas-encore, par l'inaccompli. Idéal du sensé pour une conscience s'attachant au terrain inébranlable du monde, c'est-à-dire à la terre sous la voûte du ciel.

Rationalité d'une pensée pensant à sa mesure, à son échelle, par rapport à laquelle toute recherche, tout désir, toute question sont devenir, constituent un pas-encore, un manque, sont le non-satisfaisant, représentent d'indigentes connaissances.

Recherche, désir, question ne signifient-ils que le défaut de réponse, c'est-à-dire une insuffisance de l'identité, ou bien seraient-ils des pensées de ce qui *excède* la pensée ? — si toutefois on est ici en droit d'utiliser le démonstratif *ce* qui indique un contenu à la mesure de la pensée, un corrélatif de la pensée, et si cette relation de la pensée avec la démesure peut encore s'appeler pensée.

Le temps par-delà la conscience n'est-il pas la modalité du psychisme où se défait l'événement ontologique ? Où, contrairement à tout événement ontologique, ce qui ne peut être contenu, ce qui est totalement autre — ou Dieu — affecte le Même dans le temps ? En parlant d'affection, on veut exprimer à la fois l'impossibilité pour l'Autre d'entrer dans le Même (impossibilité du vu, du visé), et se demander cependant si cette impossibilité du *dans* n'est tout de même pas une façon d'être concerné selon une passivité plus passive que toute passivité, c'est-à-dire selon une passivité non assumable. On se demande si l'affection ne signifie pas endurer patiemment, endurer d'une patience dont la *durée du temps* — relation unique en son genre — serait le nom.

L'Infini ou l'Autre, s'il était dans le fini, serait assimilé, ne serait-ce que par son reflet. Or la durée du temps serait cette relation qu'aucune pré-position ne saurait finir ou définir. Il est impossible de *recevoir* le coup du temps ; recevoir le coup du temps et encore attendre, recevoir sans recevoir, sans assumer, endurer ce qui reste encore en dehors dans sa transcendance et cependant en être affecté. Attendre dans sa transcendance ce qui n'est pas un *ce*, un terme, un attendu. Attente sans attendu.

Attente patiente. Patience et endurance de la démesure, à-Dieu, temps comme à-Dieu. Attente sans attendu, attente de ce qui ne peut être terme et qui toujours renvoie de l'Autre à Autrui. Toujours de la durée : longueur du temps qui n'est pas la longueur du fleuve qui s'écoule. Temps comme relation de déférence à ce qui ne peut être représenté et qui ainsi ne peut être dit *ce*, mais qui n'est pas indifférent. Non-indifférence : façon d'être inquiété, inquiété dans une passivité sans assomption.

Non-indifférence ou inquiétude qui par là est infiniment plus que la représentation, la possession, le contact et la réponse — plus que l'être. La conscience où se produisent les connaissances, les réponses et les résultats serait un psychisme *insuffisant* pour la demande. A l'Infini conviendraient des pensées qui sont désirs et questions. Le temps serait ainsi l'éclatement du *plus* de l'Infini dans le *moins* — ce que Descartes appelait l'idée de l'Infini. Le temps équivaudrait ainsi à la façon d'« être » de l'Infini. Cette façon est façon d'endurer l'Infini — elle est patience.

Il faut ici penser comme catégorie première l'Autre-dans-le-Même en pensant le *dans* autrement que comme une présence. L'Autre n'est pas un autre Même, le *dans* ne signifie pas une assimilation. Situation où l'Autre inquiète le Même et où le Même désire l'Autre ou l'attend. Le Même n'est pas en repos, l'identité du Même n'est pas ce à quoi se réduit toute sa signification. Le Même contenant plus qu'il ne peut contenir, c'est cela le Désir, la recherche, la patience et la longueur du temps.

Comment la mort prend-elle un sens dans le temps comme patience de l'Autre par le Même, patience qui se fait longueur de temps ? Quelle signification concrète

133

prend cette patience, ce dérangement ou ce traumatisme ou cette diachronie de la patience ? La temporalité du temps est en effet ambiguë. La durée du
temps peut se montrer continuité dans une synopsie
où se produit une intériorisation du temps (ce n'est
pas là une faute humaine : il s'agit d'une ambiguïté
essentielle de cette patience, d'une impatience de cette
patience dans cette patience). Le temps perd sa diachronie pour se rassembler en continuité du souvenir
et de l'aspiration, s'offre à l'unité de l'aperception
transcendantale pour se constituer en unité d'un flux,
unité d'une personne dans un monde habité. C'est ainsi
que pour Husserl le temps sera pensé comme processus de l'immanence.

Dès lors, le traumatisme de l'autre ne vient-il pas
d'*autrui* ? Le néant de la mort n'est-il pas la nudité
même du visage du prochain ? « Tu ne commettras pas
de meurtre » est la nudité du visage. La proximité du
prochain n'est-elle pas dans ma responsabilité pour sa
mort ? Alors ma relation à l'Infini s'invertit en cette
responsabilité. La mort dans le visage de l'autre homme
est la modalité selon laquelle l'altérité par laquelle le
Même est affecté, fait éclater son identité de Même en
guise de question qui se lève en lui.

Cette question — question de la mort — est à elle-
même sa propre réponse : c'est ma responsabilité pour
la mort de l'autre. Le passage au plan éthique est ce
qui constitue la réponse à cette question. La version
du Même vers l'Infini qui n'est ni visée ni vision, c'est
la *question*, question qui est aussi réponse, mais nullement dialogue de l'âme avec elle-même. Question,
prière — n'est-elle pas d'avant le dialogue ? La question
comporte la réponse en tant que responsabilité éthique,
en tant que dérobade impossible.

Mais cette relation avec l'Autre dans la question que
pose la mortalité d'Autrui peut perdre sa transcen-

134

dance de par la coutume qui l'organise, en devenant continuité dans la société où autrui et moi appartenons à un même corps social. Le pour-l'autre se produit alors raisonnablement, comme une activité sensée. Par conséquent, la substantialité du sujet renaît de ses cendres. La subjectivité ne se fige-t-elle pas ainsi ?

La passivité n'est donc possible que si une folie pure peut être soupçonnée au sein même du sens qui signifie dans le dévouement codifié à l'autre. Cette absurdité est ma mortalité, ma mort pour rien — qui empêche que ma responsabilité devienne assimilation de l'autre dans un comportement. C'est ma mortalité, ma condamnation à mort, mon temps à l'article de la mort, ma mort qui n'est pas possibilité de l'impossibilité mais pur rapt, qui constituent cette absurdité qui rend possible la gratuité de ma responsabilité pour autrui.

La relation avec l'Infini est la responsabilité d'un mortel pour un mortel. Comme dans le passage biblique (Genèse XVIII, 23 *sq.*) où Abraham intercède pour Sodome. Abraham est effrayé par la mort des autres et il prend la responsabilité d'intercéder. Et c'est alors qu'il dit : « Je suis moi-même cendre et poussière. »

Postface

par

Jacques Rolland

1. La mort, le temps. Non pas des thèmes, mais des questions — que la pensée ne peut pas ne pas rencontrer. Des mots que la philosophie n'aura cessé de prononcer tandis que se déroulait le fil de son histoire et qu'elle oubliait de nommer l'être. Depuis Platon qui, d'une certaine façon, naît à l'écriture avec la mort de Socrate, avec la fin de sa parole vivante, et qui doit plus tard commettre le fameux parricide. Mais Platon dont la question première est, plus que la mort, celle de l'immortalité de l'âme — et Platon qui sait comme depuis toujours ce qu'est le temps : une image, mobile, de l'éternité — immobile[1]. Comme si ces questions étaient d'emblée présentes à la philosophie mais, en même temps, par elle tenues à l'écart ou trop vite résolues. Et questions qui resurgissent avec une vigueur inégalée dans les deux œuvres qui prétendent rassembler, et en un sens surmonter, le tout de la pensée occidentale dont elles reparcourent l'histoire avec acharnement : l'œuvre de Hegel et celle de Heidegger.

Il n'est donc pas étonnant que ce soit vers ces deux

1. Voir *Timée*, 37d.

penseurs que Lévinas se tourne lorsqu'il se tourne vers ces questions pour les prendre à bras le corps. Mais cela donne au Cours que l'on vient de lire un statut tout particulier au sein de l'œuvre (car je tiens qu'il fait partie de l'œuvre) lorsqu'on le compare aux écrits publiés par le philosophe. Où l'histoire de la philosophie est présente à chaque page, mais sans quitter l'arrière-plan et en se présentant sur le mode de l'allusion plus que de l'analyse. Songeons — et pour ne prendre que cet exemple — à cette étrange phrase d'*Autrement qu'être* : « La multiplicité des sujets uniques, "étants", immédiatement, empiriquement rencontrés, procéderait de cette conscience de soi universelle de l'Esprit : brins de poussière recueillis sur son parcours ou gouttes de sueur qui perleraient sur son front à cause du travail du négatif qu'il aura accompli, moments oubliables dont ne compte que l'identité due à leur position dans le système et qui se résorbe dans le Tout du Système[1]. » On aura sans doute compris qu'il s'agit là d'un débat ou d'un conflit avec Hegel — mais on avouera qu'il est des manières plus conventionnelles de parler du penseur de Iéna et, plus généralement, de mener le débat en philosophie !

Situation surprenante. Pour nous, pour les post-heideggériens que nous sommes inévitablement[2] — et plus surprenante encore si l'on songe que l'on a ici affaire à un philosophe qui publia le premier livre

1. *Autrement qu'être ou au-delà de l'essence*, La Haye, M. Nijhoff, 1974, pp. 131-132.
2. « Heidegger nous a habitués à chercher dans l'histoire de la philosophie l'histoire même de l'être ; toute son œuvre consiste à ramener la métaphysique à l'histoire de l'être », dit le Cours. (Signalons ici que la pagination des extraits cités du Cours ne sera pas indiquée, celui-ci précédant immédiatement cette postface.) A cette remarque répond un autre propos de Lévinas : « Quel que soit le radicalisme de la destruction de la métaphysique, qui s'accomplit dans la pensée heideggérienne de l'être, c'est encore la métaphysique occidentale qui reste le sol que cette pensée retourne ou laboure. » « De la signifiance du sens » in *Heidegger et la question de Dieu*, Paris, Grasset, 1980, p. 239.

français sur Husserl, la première étude substantielle sur Heidegger, et introduisit Rosenzweig en France[1]. Mais songeons précisément que ce dernier — dont Lévinas n'a jamais caché qu'il avait été décisif pour la genèse de sa pensée, incommensurablement plus que Buber — est dit dans la préface de *Totalité et Infini* « trop souvent présent dans ce livre pour être cité[2] ». Comme s'il y avait chez Lévinas un strict départ entre les études d'histoire de la philosophie, reléguées dans une sorte de statut préliminaire, et le développement propre de la pensée — qui pourra certes s'aider du rappel des philosophies du passé, mais sans éprouver le besoin d'entrer dans un débat explicite ou dans un dialogue réel avec elles. (Dans cette situation, Husserl serait seul à faire exception.) Façon de penser qui me semble clairement énoncée par la proposition suivante : « Mais fixer ses positions par rapport à Hegel, pour un philosophe, cela correspond à ce que serait au tisserand l'installation de son métier, *préalable à l'ouvrage qui y sera mis et remis[3]*. » Cela vient avant ; et c'est après que commence l'œuvre. Au fond, eût-il été Aristote que la *Métaphysique* n'aurait peut-être pas inclus dans son corpus le Livre A.

C'est peut-être la première chose qu'il fallait remarquer à propos de ce cours. Car si la pensée qui s'y déploie est exactement celle qui se cherche dans les livres — et, plus précisément, celle qui venait de s'écrire dans *Autrement qu'être* — pour une fois, elle se tisse dans le dialogue et le débat avec les grands prédécesseurs et les grands contemporains. D'abord

1. Voir en particulier *Théorie de l'intuition dans la phénoménologie de Husserl*, Paris, 1930 ; « Martin Heidegger et l'ontologie » in *Revue philosophique*, 1932, « Entre deux mondes (biographie spirituelle de Franz Rosenzweig) » in *La Conscience juive*, Paris, P.U.F., 1963.
2. *Totalité et Infini. Essai sur l'extériorité*, La Haye, M. Nijhoff, 1961, p. XVI.
3. « Un langage qui nous est familier » in les *Cahiers de La nuit surveillée*, n° 3 (1984), p. 327 ; souligné par moi.

Heidegger, dont on aura remarqué la présence écrasante, mais aussi Kant, Hegel, Bloch, Bergson et quelques autres. Sans doute parce qu'il s'agissait d'un cours. — Mais cela même me semble constituer un autre motif d'intérêt de la publication de ce texte (trace peut-être unique de l'activité de professeur de ce penseur si tard venu à l'enseignement) où, du fait que son caractère de cours lui a été conservé — avec les mentions de dates, les reprises de leçon en leçon, les raccourcis parfois, les résumés et les digressions — passe, je l'espère, quelque chose de la parole de cet homme d'écriture[1].

2. De la pensée qui se déploie ici dans le dialogue, il faudra bientôt souligner les points cruciaux ou les principales arêtes, comme il faudra situer ce cours dans l'évolution de la pensée de Lévinas. Mais il faut noter auparavant la façon dont la méditation qui se conduit ici souligne — par-delà les inévitables déplacements d'accent, qu'ils se traduisent par l'approfondissement ou l'abandon de telle ou telle notion — la remarquable continuité, et par là la remarquable unité de la pensée de Lévinas sur plus d'un demi-siècle. On le notera ici à propos des deux termes qui composent le titre du Cours : la mort, le temps.

Si la question du temps est absente du petit écrit de 1936 qui fut le véritable coup d'envoi de cette aventure de pensée, *De l'évasion*, et s'il y est seulement fait allusion, négativement, à la mort[2], dans les écrits de l'immédiat après-guerre — *De l'existence à l'existant*,

---

1. C'est en 1961 que Lévinas a occupé son premier poste de professeur, à l'Université de Poitiers. On trouve bien sûr des témoignages de son enseignement dans les différents recueils de leçons talmudiques — mais il ne s'agit pas alors, bien évidemment, de son enseignement philosophique.
2. « L'expérience de l'être pur est en même temps l'expérience de son antagonisme interne et de l'évasion qui s'impose. Toutefois, l'issue vers

Le Temps et l'Autre[1] — les deux questions viennent se placer au cœur de la méditation, chacune en elle-même et les deux dans les rapports qui les unissent. Il me semble que, pour comprendre pleinement ce qui se pensait alors et comment ce qui se passait là correspond et en même temps diverge de la problématique déployée dans le Cours, c'est vers les conférences données en 1946-1947 au Collège philosophique de Jean Wahl et publiées sous le titre *Le Temps et l'Autre* qu'il faut se tourner.

Encore qu'elle ne soit pas annoncée dans le titre, ni énoncée dans la phrase de départ — « Le but de ces conférences consiste à montrer que le temps n'est pas le fait d'un sujet isolé et seul, mais qu'il est la relation même avec autrui » (p. 17) — la mort occupe une place déterminante dans cet ouvrage, où elle est pour l'essentiel déjà comprise dans le sens qu'elle recevra dans le Cours de 1975-1976. — Si la mort est toujours et indéniablement anéantissement, elle est encore et plus profondément caractérisée par son inconnu. Or « l'inconnu de la mort signifie que la relation humaine avec la mort ne peut se faire dans la lumière[2] » — et,

laquelle elle pousse n'est pas la mort. » *De l'évasion* (éd. introduite et annotée par mes soins), Montpellier, Fata Morgana, 1982, p. 90.

1. Respectivement publiés par les Éditions de la revue « Fontaine » en 1947 (repris par Vrin) et dans le recueil *Le Choix, le monde, l'existence* chez Arthaud en 1948, puis repris en 1979 par Fata Morgana ; c'est cette dernière édition que j'utilise.

2. Pour cette notion de lumière, quelques lignes des pages 74-75 de *De l'existence à l'existant* méritent d'être citées : « Qu'elle émane du soleil sensible ou du soleil intelligible, la lumière, depuis Platon, conditionne tout être. Quelle que puisse être la distance qui les sépare de l'intellect, la pensée, la volition, le sentiment sont avant tout expérience, intuition, vision claire ou clarté qui cherche à se faire. [...] La lumière qui remplit notre univers — quelle qu'en soit l'explication physico-mathématique — est phénoménologiquement la condition du phénomène, c'est-à-dire du sens : l'objet, tout en existant existe pour quelqu'un, lui est destiné, se penche déjà sur un intérieur et, sans s'absorber en lui, se donne. Ce qui vient du dehors — illuminé — est compris, c'est-à-dire vient de nous. C'est par la lumière que les objets sont un monde, c'est-à-dire sont à nous. La propriété est constitutive du monde : par la lumière, il est donné et appréhendé. »

en conséquence, qu'alors « le sujet est en relation avec ce qui ne vient pas de lui » (p. 56). Relation qui tranche sur toutes celles qui adviennent dans la lumière, où « l'objet éclairé est à la fois quelque chose que l'on rencontre, mais du fait même qu'il est éclairé, on le rencontre comme s'il sortait de nous » (p. 47). La rencontre de la mort est au contraire relation avec ce qui en aucune manière ne vient de nous. Ainsi la mort dénonce-t-elle la « passivité du sujet », en même temps qu'elle « annonce un événement dont le sujet n'est pas le maître, un événement par rapport auquel le sujet n'est plus sujet » (p. 57). En ce sens, la mort peut être dite *mystère* (plus tard, Lévinas préférera le mot *énigme*), si par ce terme on entend « quelque chose » — en vérité le non-objet par excellence — qui ne peut être possédé, ne peut être compris, ne peut être saisi, serait-ce dans la seule anticipation. Par là, la relation avec le mystère ou l'inconnu de la mort est relation avec l'*autre*. « Cette approche de la mort indique que nous sommes en relation avec quelque chose qui est absolument autre, quelque chose portant l'altérité, non pas comme une détermination provisoire [...] mais quelque chose dont l'existence même est faite d'altérité » (p. 63). C'est pourquoi la mort, événement et *insaisissable* événement, « n'est jamais maintenant » mais se montre « éternel à venir » (p. 59). Car « ce qui n'est en aucune façon saisi » — à la manière de la mort, à la façon de l'autre — « c'est l'avenir ». En d'autres termes ou en termes inverses, « l'avenir, c'est ce qui n'est pas saisi, ce qui tombe sur nous et s'empare de nous. L'avenir, c'est l'autre. La relation avec l'avenir, c'est la relation même avec l'autre » (p. 64).

Ainsi la relation avec l'autre tel qu'il se concrétise dans l'événement ou le mystère de la mort permet-elle de penser concrètement l'avenir — c'est-à-dire tout simplement de le penser. Mais cet avenir, « l'avenir que donne la mort, l'avenir de l'événement *n'est pas encore le temps* » (p. 68 ; je souligne). Pour qu'il le fût, il faudrait au moins qu'il permît une certaine relation entre lui-même et le présent (présence du futur dans le présent ou « empiétement » du présent dans l'avenir), relation précisément exclue par la mort entendue dans son mystère ou son altérité. La mort, qui permet de penser l'avenir, ne suffit pas à penser le temps. Pour cela, il faut une autre relation, une autre situation — une autre *circonstance*, dira plus tard Lévinas. Situation « où, à la fois, l'événement arrive et où cependant le sujet, sans l'accueillir comme on accueille une chose, un objet, fait face à l'événement » (p. 67). Situation, donc, où, sans aucune saisie de l'inconnu ni aucune anticipation de l'avenir, il y aurait cependant un rapport entre le présent du sujet et l'avenir de l'événement qui lui advient sans qu'il l'assume. « Cette situation, écrit Lévinas, c'est la relation avec autrui, le face-à-face avec autrui, la rencontre avec un visage qui, à la fois, donne et dérobe autrui » (p. 67). Et cette situation où autrui se substitue à l'autre *überhaupt*, à l'autre pur et simple, à l'autre en général, permet de passer du seul avenir au temps lui-même, où présent et avenir peuvent et doivent entretenir une relation. (On aura remarqué que, dans cette description, le passé n'est pas encore pris en compte.) « La relation avec l'avenir, la présence de l'avenir dans le présent semble encore s'accomplir dans le face-à-face avec autrui. La situation de face-à-face serait *l'accomplissement du temps* ; l'empiétement du présent sur l'avenir n'est pas le fait d'un sujet seul, mais la relation intersubjective. La *condition du temps* est dans le rapport entre humains ou dans l'histoire » (pp. 68-69 ; je souligne).

Ce résumé extrêmement succinct des pages centrales des conférences de 1946-1947 (et de ces seules pages : on aura ici passé sous silence et celles qui les précèdent, où est décrite la naissance ou l'hypostase du

143

sujet, et celles qui les suivent, où l'altérité d'autrui cherche à se penser à partir du féminin pris comme une manière de modèle) n'aura sans doute pas été inutile dans la mesure où il peut constituer une bonne introduction à la lecture du Cours de 1975-1976. Car si certaines analyses se sont modifiées au cours des trente années qui séparent les deux textes, les motifs de fond sont restés inchangés, et, surtout, la thématique de base, où temps et mort se rapportent l'un à l'autre en impliquant l'altérité d'autrui dans leur rapport, s'est affermie et s'est approfondie. — On peut donc en venir à quelques remarques sur le Cours.

3. On peut en venir au Cours, non pas pour en proposer une explication ou un commentaire, mais seulement pour faire prolonger sa lecture par un certain nombre de notes ponctuelles. Dont la première concernera la structure de ce texte ; structure que l'on peut dire circulaire puisqu'il commence (première partie : leçons du 7 au 21 novembre 1975) par poser les termes de la question, passe ensuite à la lecture d'un certain nombre d'œuvres philosophiques (deuxième partie : leçons du 28 novembre 1975 au 7 mai 1976), pour s'achever par une méditation (troisième partie : leçons des 14 et 21 mai 1976) qui reprend en les approfondissant les questions de la première partie. Ces trois parties appellent à leur tour quelques remarques. On notera d'abord que la position de la question dans la première partie n'est nullement neutre mais qu'elle situe le problème dans l'horizon propre de la pensée de Lévinas (« Cette recherche de la mort dans la perspective du temps, dit la première leçon, ne signifie pas une philosophie du *Sein zum Tode*. Elle se différencie donc de la pensée de Heidegger ») — et, plus précisément, dans l'horizon ouvert par *Autrement qu'être*. De ce fait, la deuxième partie ne consistera pas seulement à exposer un certain nombre de positions

philosophiques passées ou contemporaines, mais bien à les interroger à partir du questionnement initial et en vue de la reprise de ce questionnement dans la troisième partie. (C'est au demeurant pourquoi on ne saurait réduire ces pages à un cours d'histoire de la philosophie ; et c'est bien pourquoi elles doivent être comprises comme partie intégrante de l'œuvre.) Encore un mot sur la deuxième partie — sur sa structure (que je restitue ici de manière schématique) qui la fait reposer comme sur deux piliers, sur deux exposés critiques : de Heidegger et de Hegel. Heidegger à qui est essentiellement opposé Kant ; Hegel dont la critique est suivie par l'évocation très favorable de Bloch ; Aristote, Husserl, Bergson ou Fink — et quelques autres ! — intervenant en mode mineur et de manière ponctuelle.

Mais s'il s'agit, au sein de cette structure circulaire, de penser mort et temps dans leurs rapports, alors c'est bien évidemment vers Heidegger — le « grand antagoniste », dit un commentateur, songeant sans doute à la façon dont Lévinas lui même qualifia un jour Rosenzweig de « grand contemporain[1] » — qu'il faut d'abord se tourner, Heidegger chez qui « est affirmée la relation étroite de la mort et du temps ». Et cependant pour aussitôt prendre ses distances en renversant la séquence heideggérienne et en s'efforçant de « penser la mort à partir du temps et non plus le temps à partir de la mort ». — Pour comprendre cet autre rapport entre mort et temps, il importe, me semble-t-il, de souligner quelques aspects de ces deux concepts tels qu'ils sont pensés chez Lévinas.

La mort, d'abord, dont le philosophe ne nie en

1. Respectivement Richard A. Cohen, « La non-in-différence dans la pensée d'Emmanuel Lévinas et de Franz Rosenzweig » in les *Cahiers de l'Herne*, n° 60 (1991), p. 343 ; E. Lévinas « Franz Rosenzweig : une pensée juive moderne » in les *Cahiers de La nuit surveillée*, n° 1 (1982), p. 68.

aucune manière la fin et l'anéantissement qu'elle signifie, mais dont il se demande si le néant qu'elle ouvre a été suffisamment pensé, c'est-à-dire pensé assez radicalement, dans la tradition philosophique : le néant comme tel, un néant qui, « tel que celui de la mort, n'est gros de rien », en d'autres termes et si l'on peut s'exprimer ainsi, un néant vide de tout être, à l'écart de tout être — quoi qu'il en soit un néant *pur*. Or ce que veut démontrer Lévinas dans le Cours, c'est que, d'Aristote situant le néant dans le couple génération-corruption à Hegel pour qui « l'être pur et le pur néant sont la même chose » — sans même parler de Bergson affirmant que l'idée de néant comme abolition du tout « est aussi absurde que celle d'un cercle carré » — le néant a défié la pensée occidentale, qui n'est pas parvenue à en penser le rien[1].

Il n'en irait pas de même avec Heidegger — du moins dans *Être et temps*, seul pris en considération dans le Cours — où la mort est proprement néant en étant fin de l'être-là dont le propre est de comprendre l'être. Mais ce pur néant lui-même — qui néanmoins se laisse anticiper — ne serait pas encore à la mesure ou à la démesure de la mort, en cela même qu'il déterminerait ou délimiterait l'illimité et l'indéterminé de la mort comme fin, néant ou anéantissement — et seulement cela. Mais d'où tient-on avec autant de certitude que la mort n'est rien d'autre que rien ? Ou pourquoi se refuse-t-on à prendre en compte ce qu'il y a d'*inconnu* dans ce rien, dans le néant de la mort ? (« Je me demande même comment le trait principal de notre relation avec la mort a pu échapper à l'attention des philosophes. Ce n'est pas du néant de la mort dont précisément nous ne savons rien que l'analyse de la mort doit partir, mais d'une situation

1. Les citations de Hegel et de Bergson figurent dans le Cours, avec leurs références.

où quelque chose d'absolument inconnaissable apparaît » — cette remarque que l'on trouve dans *Le Temps et l'Autre* (p. 58) aurait pu, à peine modifiée, trouver place dans le Cours ; modifiée cependant, au moins dans sa formulation, car celui-ci tient plus fermement compte du néant de la mort). De sorte que — et c'est là la proposition forte de Lévinas — la mort exigerait, pour être proprement pensée, un néant qui serait plus néant que le « pur néant » : un néant qui serait « *ambiguïté du néant et de l'inconnu* ». Grâce à cet inconnu de la mort qui, dans l'ambiguïté — à la manière d'un mystère ou d'une énigme — vient se mêler à son néant, le pur *point d'interrogation* inscrit par la mort serait retenu dans l'anéantissement qu'elle est indéniablement, dans le néant qu'elle ouvre sans conteste. Et, grâce à ce point d'interrogation, serait à son tour inscrite dans la neutralité du rien la dimension de non-sens et d'absurdité — mais aussi d'émotion — que toute mort porte avec elle.

C'est cette détermination de la mort comme néant *et* inconnu ou question pure, cette détermination de la mort comme suprême indétermination, qui permet à Lévinas d'opposer Kant à Heidegger. Kant qui ne niera ni la mort ni son néant mais qui sera amené, de par les exigences de la Raison pratique, à postuler l'immortalité de l'âme. Mais prenons-y garde : ce qu'il faut bien voir ici, c'est que cette immortalité ne peut pas être affirmée — ni non plus niée (ce serait là simplement un dogmatisme à l'envers) — mais qu'elle peut seulement être *espérée*. L'espoir dont il s'agit alors, et qui est comme un tiers-exclu entre affirmation et négation, inscrit un *peut-être* dans l'indéniable néant de la mort. Mais — et c'est là ce qu'il faut souligner, car c'est sans doute une des pensées les plus stimulantes suggérées par le Cours — ce peut-être ne vient pas remplir le vide du néant ni émousser le tranchant de la mort. Tout au contraire : à la mort dans son rien il ajoute une question — une question sans réponse autre que peut-être — pour l'alourdir et ainsi la restituer à son énigme — à son mystère disait, on s'en souvient, *Le Temps et l'Autre* — à son ambiguïté d'anéantissement *et* d'inconnu.

J'ai dit à plusieurs reprises que le Cours appartient à la période d'*Autrement qu'être*, livre dont le « thème » est la subjectivité du sujet — tandis que celui de *Totalité et Infini* était constitué par l'altérité de l'autre ou d'autrui. C'est donc dans l'horizon de pensée ouvert par ce livre et en rapport avec le sujet tel que sa subjectivité y est méditée que le temps va pouvoir lui-même être pensé. Or, ce qu'il y a de décisif et de décisivement nouveau dans *Autrement qu'être*, c'est que le sujet n'y est plus « le sujet isolé et seul » conquis dans l'hypostase qui se pense dans l'immédiat après-guerre et que l'on a rencontré plus haut, ni le Moi qui est le Même — qui est « l'identité par excellence, l'œuvre même de l'identification » en cela qu'il a « l'identité comme contenu » — de *Totalité et Infini*[1]. Sujet isolé ou Moi que qualifie l'identité qui certes rencontrera l'autre dans le visage d'autrui, sujet ou Moi dont l'isolement et la mêmeté seront sans doute affectés et contestés et bouleversés par cette rencontre — mais seulement dans un deuxième temps, postérieur à la constitution du sujet ou du Moi. Ici, au contraire, l'identité du sujet lui vient du dehors, son unicité provient de son assignation par l'autre — de sorte qu'il faut comprendre que l'extériorité ou que l'altérité est *constitutive* de sa subjectivité. « L'identité du *même* dans le "je" lui vient malgré soi du dehors, comme une élection ou comme l'inspiration, en guise de l'unicité d'assigné[2]. » En conséquence, la couche la

1. *Totalité et Infini*, p. 6.
2. *Autrement qu'être*, p. 67.

plus profonde du psychisme ou de l'humain — la subjectivité pré-originelle, dira Lévinas — qui ne peut plus se penser en termes de conscience, ne peut plus non pas se décrire comme le Même, mais doit être pensée comme l'Autre-*dans*-le-Même. La subjectivité est alors ce Même d'ores et déjà ouvert à l'Autre — à l'Autre que, selon les analyses conduites dans *Le Temps et l'Autre* et dont les résultats sont ici conservés, le Même ne peut ni saisir ni comprendre ni contenir, ni même anticiper — d'ores et déjà tourné vers lui sans pouvoir jamais le rejoindre. Comme l'identité « qui vient du dehors » — identité du *sub-jectum*, « sous le poids de l'univers, responsable de tout[1] » — est d'ores et déjà ouverte au Dehors et au Différent que jamais elle ne saurait atteindre. Et c'est dans ce *jamais* que, selon le Cours, serait à chercher le *toujours* du temps : « le toujours du temps serait engendré par la disproportion entre le désir et le désiré ». Temps sans doute toujours susceptible d'être ramené à une synchronie par la rétention et la protention, par la mémoire et l'anticipation, par l'histoire et la prévision — mais temps premièrement caractérisé par sa *diachronie*. Laquelle « est disjonction de l'identité où le même ne rejoint pas le même[2] » et, en ce sens, peut être comprise comme un autre nom de la subjectivité telle qu'on vient de l'évoquer — « Le sujet dit aussi proprement que possible (car le fond du *Dire* n'est jamais proprement dit), n'est pas *dans* le temps, mais est la diachronie même[3] »   et dont on aura compris qu'elle est toujours *en retard* sur l'autre qu'elle désire. Et, dans ce retard, subjectivité comme exposition — malgré soi — à l'autre, comme patience, et, finalement, comme passivité.

1. *Id.*, p. 147.
2. *Id.*, p. 67.
3. *Id.*, p. 73.

Mais *Totalité et Infini* nous avait enseigné que « l'Autre par excellence, c'est Autrui[1] » — et cette leçon est retenue aussi bien dans *Autrement qu'être* que dans le Cours. La subjectivité originairement ouverte à l'autre est dès lors subjectivité susceptible — susceptible et non pas capable — d'un rapport de responsabilité avec autrui, avec le prochain, dont l'approche dessine la diachronie la plus sévère : « Plus je réponds et plus je suis responsable ; plus j'approche du prochain dont j'ai la charge et plus je suis loin. Passif qui s'accroît : l'infini comme infinition de l'infini, comme gloire[2]. » Sans trop s'enfoncer dans les difficultés extrêmes de ce livre, on peut dire alors que, comme dans *Le Temps et l'Autre* et bien qu'en des termes différents, c'est dans la relation avec autrui que se produit originairement le temps.

Et, dans le temps ainsi pensé, la mort vient s'inscrire par deux fois. D'abord comme mortalité d'autrui (« Le néant de la mort n'est-il pas la nudité même du visage du prochain ? » demande le Cours), qui serait la modalité concrète par laquelle, dans le sujet, le même ne rejoint pas le même, mais s'offre passivement et gratuitement au service d'autrui. Ensuite avec ma propre mort, dont le non-sens « garantirait » en quelque façon que cette passivité ne va pas s'invertir en activité ou que cette in-quiétude ne va pas finir par trouver le repos : « C'est ma mortalité, ma condamnation à mort, mon temps à l'article de la mort, ma mort qui n'est pas possibilité de l'impossibilité mais pur rapt, qui constituent cette absurdité qui rend possible la gratuité de ma responsabilité pour autrui[3]. »

1. *Totalité et Infini*, p. 9.
2. *Autrement qu'être*, p. 119.
3. Cette façon pour le temps de signifier à partir du battement de l'Autre dans le Même — ou *comme* ce battement — aura été admirablement exprimée par Dostoïevski dans *Crime et Châtiment* ; plus précisément dans

Ce n'étaient là que quelques notes, visant, non pas à expliquer, mais à souligner quelques traits essentiels, quelques points nodaux d'une pensée dont il ne saurait être question de masquer la difficulté. Mais qui, dans cette difficulté, en vient à « penser la mort à partir du temps — et non pas, comme chez Heidegger, le temps à partir de la mort ». La mort qui n'est plus néant se faisant possibilité, mais ambiguïté du néant et de l'inconnu — le temps qui n'est plus horizon de l'être, mais intrigue de la subjectivité dans son rapport avec autrui.

Hegel

la première partie du roman et, plus précisément, dans la structure de celle-ci. Car cette partie se fait récit de la manière dont Raskolnikov s'avance vers la réalisation de son projet — l'assassinat de la vieille usurière — et cette avancée se conduit dans la rencontre infiniment répétée d'Autrui sous différentes figures. Or ce sont ces rencontres qui produisent la marche de Raskolnikov et, en ce sens, tissent le temps du récit, et, plus profondément, écrivent le temps comme tel, c'est-à-dire comme battement de l'Autre-dans-le-Même. Écrivent ou signifient la temporalité et, en outre, inscrivent la mort dans la signification de la temporalité, puisque cette première partie débouchera sur le meurtre dépassant son intention d'assassinat rationnel. — Pour toutes ces questions, je me permets de renvoyer à mon *Dostoïevski : la question de l'Autre*, Verdier, 1983.

Index

Table

LA MORT ET LE TEMPS

Dans Le Livre de Poche

Extraits du catalogue

Emmanuel Lévinas

Éthique et infini

Lévinas dialogue avec Philippe Némo et passe au crible les thèmes forts de sa philosophie. La responsabilité, la relation avec l'Autre, le Mal, l'Amour, la Liberté : autant de problèmes essentiels dont l'élucidation aide à vivre aujourd'hui.

Difficile liberté

Un texte qui appréhende la tradition hébraïque sur fond d'exterminations nazies et montre qu'elle porte les paroles d'une sagesse éternelle. Emmanuel Lévinas nous raconte le grand roman de l'Homme. Décisif.

Totalité et infini
Essai sur l'extériorité

L'un des textes majeurs de la philosophie du XXᵉ siècle.

Humanisme de l'autre homme

L'humanisme est toujours actuel, dit en substance Lévinas, et c'est grâce à lui que l'on peut apprendre à considérer « l'autre » dans ce qu'il a d'unique, et donc d'inestimable.

Noms propres

Le philosophe et ses « affinités électives ». *Noms propres* est un livre à part dans l'œuvre de Lévinas. Le seul où le penseur désigne aussi clairement la teneur exacte de son environnement intellectuel.

Autrement qu'être ou Au-delà de l'essence

Le livre de la transcendance – les problèmes de l'éthique et de la responsabilité. Une œuvre magistrale.

Dans Le Livre de Poche

Extraits du catalogue

Biblio/essais

Composition réalisée par C.M.L., Montrouge

IMPRIMÉ EN FRANCE PAR BRODARD ET TAUPIN
Usine de La Flèche (Sarthe).
LIBRAIRIE GÉNÉRALE FRANÇAISE - 6, rue Pierre-Sarrazin - 75006 Paris.

ISBN : 2 - 253 - 05943 - 9   ✪ 42/4148/5